André-F d

Des Ombres sous la pluie

BIFROST / ÉTOILES VIVES

Chez le même éditeur

DANS LA COLLECTION SCIENCE-FICTION :

Étoiles Vives N°1
anthologie

Étoiles Vives N°2
anthologie

Étoiles Vives N°3
Spécial Stephen Baxter
anthologie

Étoiles vives N°4
Spécial G. David Nordley
anthologie

Étoiles vives N°5
Spécial Michael Swanwick
anthologie

Étoiles vives N°6
Spécial Andrew Weiner
anthologie

Étoiles vives N°7
Spécial Greg Egan
anthologie

Danse Aérienne
de Nancy Kress
court roman de SF
(prix Ozone 1997, meilleure nouvelle anglo-saxonne)

Cœur de Fer
de Joël Champetier
recueil

Envahisseurs !
de Andrew Weiner
recueil

Les Visages de Mars
de Jean-Jacques Nguyen
recueil

Histoires de cochons et de science-fiction
anthologie de Sylvie Denis

Les Olympiades truquées
de Joëlle Wintrebert
roman

Londres, ville de l'imaginaire
le n°128 de la revue *Yellow Submarine* entièrement consacré à Londres
(disponible en VPC chez André-François Ruaud, 245-247 rue Paul Bert, 69003 Lyon)

André-François Ruaud
Des Ombres sous la pluie

ouvrage publié sous la direction de Gilles Dumay

Autres textes de André-François Ruaud chez Étoiles Vives/Bifrost :

- *Imago* in *Invasions 99*
- *L'Ange sur le banc* in *Étoiles Vives* N°6

Si vous voulez être tenu régulièrement au courant
de nos publications, écrire aux auteurs, illustrateurs,
ou recevoir un catalogue complet,
deux adresses :

Orion Éditions et Communication
110 rue d'Offémont
60150 Le Plessis-Brion
France

ou

thomasd@club-internet.fr

Ce fut à ce moment que je crus voir l'empereur lui-même
à une fenêtre du palais : il ne vient jamais, en général,
dans ces appartements qui donnent sur la place,
il vit toujours au plus secret de ses jardins ;
mais cette fois il se tenait derrière l'une des fenêtres,
c'est du moins ce qu'il m'a semblé, et regardait,
la tête penchée, ce qui se passait devant son château.

Franz Kafka, *Une vieille page.*

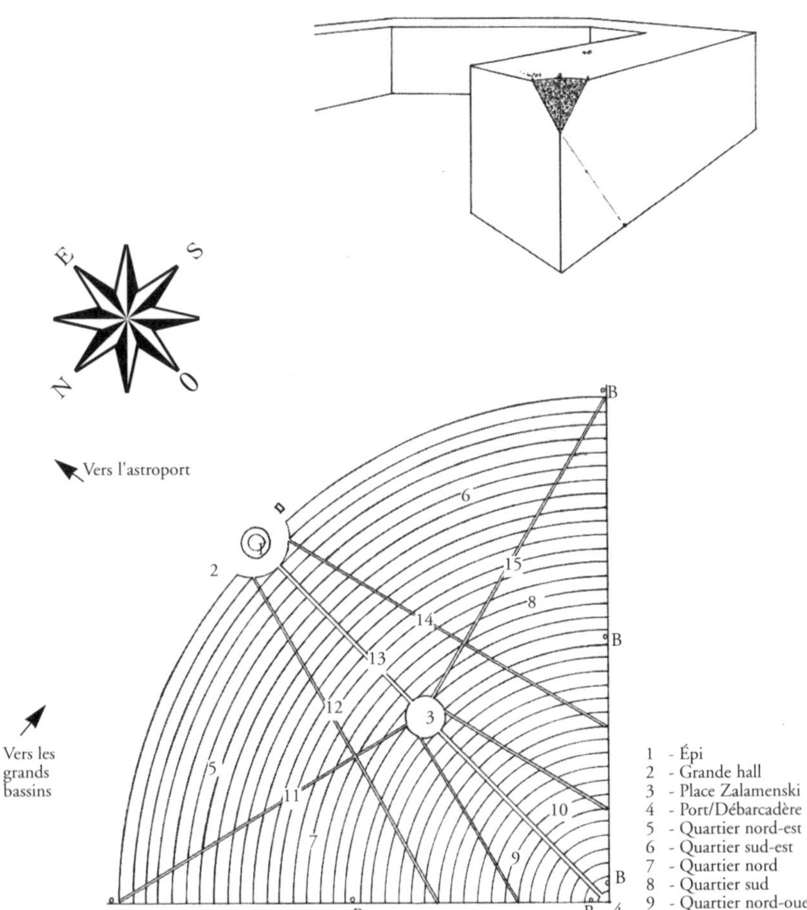

1 - Épi
2 - Grande hall
3 - Place Zalamenski
4 - Port/Débarcadère
5 - Quartier nord-est
6 - Quartier sud-est
7 - Quartier nord
8 - Quartier sud
9 - Quartier nord-ouest (néo-mississipien)
10 - Quartier sud-ouest (néo-troyen)
11 - Axe ouest
12 - Allée des gelinottes
13 - Grande avenue
14 - Allée des micocouliers
15 - Axe est
B - Borne météo

Prologue

Chaque matin le plonge dans un total désarroi. Ses sens s'affolent. La tête lui tourne, ses doigts sont gourds. Impression d'anesthésie. Il est humain. Encore.

Ensuite, les souvenirs lui reviennent. Souplesse, rapidité, les taches chaudes, le vent frais. La mémoire et le corps de l'ambassadeur entrent en conflit : impossible réconciliation des sensations de la nuit et des stimuli du jour... Il devrait tenir compte de ce que dit son médecin. Le pauvre fait tout ce qu'il peut pour lui. Des hallucinations, rien de plus, d'après le médecin. Mais l'ambassadeur est certain d'être sain d'esprit.

Comment, alors, expliquer ces ombres sous la pluie ?

Sain d'esprit. Mais comment traduire ses souvenirs nocturnes ? Un ciel vaste, sombre, marbré de reliefs incertains. Un tourbillon d'odeurs, de sons, il est obligé de se redresser dans son lit, se tenant la tête à deux mains comme si elle allait exploser. Pas si vite ! Trier les sensations, sérier les interprétations, éviter le vertige de la synesthésie. Le ciel se brouille. L'ambassadeur ferme les yeux, se recouche pour ne se concentrer que sur ses souvenirs. Le ciel brouillé. Une sensation connue : l'humidité. La pluie, encore. L'ambassadeur se tord dans son lit, comprendre, il voudrait comprendre. Une urgence, il est persuadé que son moi nocturne veut lui transmettre une urgence. Des ombres sous la pluie ? Des lueurs bleues, un grillage, bleu, bleu... L'ambassadeur ne comprend pas, ne comprend plus, il en pleurerait presque de frustration. Chaque fois qu'il est au bord d'une interprétation, d'une compréhension des images de la nuit, les souvenirs lui échappent.

L'ambassadeur se redresse, sa main cherche à tâtons le cordon de la sonnette.

Chapitre un

La journée s'annonçait torride, une fois encore. À peine entamé, cet été s'installait dans la canicule. Je ne respirais plus, je haletais. Un peu d'air pénétrait par la porte-fenêtre ouverte mais ne faisait que bousculer les papiers de madame Ha, sans apporter de fraîcheur à la maison. La pelouse du salon commençait à jaunir, en dépit de mes velléités horticoles. Madame Ha n'avait pas encore paru, préférant s'isoler dans sa chambre.

J'avais songé à arroser le jardin, mais rien ne coulait du robinet (encore une défaillance du service des eaux) et mieux valait économiser le contenu de notre cuve d'appoint. Renonçant à classer les fiches des malades récents, j'avais tendu mon hamac près du bureau et m'étais installé confortablement. L'abondante bibliothèque de ma patronne m'assurait de la compagnie d'un bon vieux roman policier.

C'est cependant avec gratitude que j'allai répondre au son de la cloche d'entrée. Une personne capable de sonner chez madame Ha par une matinée aussi chaude ne pouvait qu'être intéressante. Je dégringolai de mon perchoir et me dirigeai vers la porte d'entrée.

« Non, non, laisse, je sais qui c'est, » m'apostropha madame Ha, du haut de l'escalier menant à son refuge contre la chaleur du jour. Elle descendit les marches avec une célérité qui, eu égard à son âge, aurait surpris quiconque ne la connaissait pas. Minuscule et sèche, elle recelait des trésors d'énergie — lorsqu'elle le voulait bien. Je m'adossai au chambranle de la porte du salon, curieux de savoir qui pouvait déclencher une crise d'activité aussi intense chez ma vénérable patronne.

« Quelle surprise, cher confrère ! Qu'est-ce qui vous amène chez nous par ce temps ? »

Le docteur Stout se tenait dans l'ombre précaire de l'auvent. Il s'agissait d'un médecin du quartier néo-mississipien. Je le connaissais vaguement pour l'avoir rencontré une fois, à l'occasion de l'enquête sur le tueur méthodique. Vu sa petite taille, il s'était certainement haussé sur la pointe des pieds pour tirer le cordon de la cloche. Il tirailla un instant sa barbiche grise, puis se décida à avancer dans l'entrée. Rendu parcimonieux par l'anxiété, il marchait à petits pas arthritiques.

Madame Ha referma la porte derrière lui, toujours souriante. Le docteur Stout n'eut pas l'air plus rassuré pour autant. Madame Ha ne connaît que deux sortes de sourires : le plissement de lèvres presque invisible et l'étalage de dents. Un de ces jours, quelqu'un de plus téméraire que moi devra lui expliquer que ce deuxième mode lui confère un air plus carnassier qu'engageant.

« Bonjour, docteur Ha. Bonjour, jeune homme. Je suis désolé de vous déranger... commença le petit médecin.

— Pensez-vous, vous ne nous dérangez pas du tout. Entrez donc dans le salon, nous y serons mieux pour discuter. »

Sans lui laisser placer un mot de plus, madame Ha guida son collègue avec énergie vers la pièce principale. Elle s'excusa pour la pelouse un peu trop haute.

« J'avais demandé à Ariel de la tondre, mais il est de plus en plus fainéant, il n'y a rien à en tirer. »

M'étant poussé pour les laisser passer, je profitai de ce que notre visiteur me tournait le dos pour lancer une grimace à madame Ha.

« Oui, oui, dit Stout d'un ton nerveux. Excusez-moi, en fait je ne viens pas vous rendre une visite de politesse... » Ses yeux allaient et venaient nerveusement d'un objet à l'autre, sans oser se fixer sur nous.

J'allai m'asseoir sur le coin du bureau, pendant que madame Ha restait debout face à Stout. Elle eut une moue désappointée.

« Oh, alors quel est donc le sujet de votre visite ? »

Madame Ha se laissa tomber sur le divan, indiquant du doigt un fauteuil pour Stout.

« Comment vous dire... » Stout se tordait les doigts. Il semblait au comble de la gêne. « Vous connaissez Son Excellence Lord Summer Cedar-Longbow ?

— L'ambassadeur de Nouvelle-Mississipi ? J'ai eu l'occasion de faire sa connaissance il y a longtemps, lors d'une réception donnée par l'Empereur. »

L'évocation de l'Empereur ne fit rien pour tranquilliser notre visiteur. Stout se trémoussa sur le fauteuil, que je savais pourtant très confortable.

« Voilà : je soigne Son Excellence depuis plusieurs mois... »

Le petit homme s'interrompit. Il baissa les yeux, en mordillant sa barbichette.

« Connaissez-vous le syndrome d'Onza ? » se résolut-il à demander.

D'un petit signe de la tête, madame Ha indiqua que sa culture médicale englobait cette maladie. J'intervins pour signaler que, pour ma part, j'ignorai de quoi il s'agissait.

« C'est une affection assez fréquente sur les planètes humaines de la Voie Lactée. Elle est apparue pour la première fois en Nouvelle-Murcie, puis s'est répandue par le biais...

— Je vous en prie, cher confrère, venez-en au fait, un historique n'est pas nécessaire, intervint madame Ha d'une voix mielleuse.

— Hem, oui... Donc, *onza* signifie *guépard* en castillan. Les personnes touchées par cette maladie deviennent des guépards-garous. Ils ne se transforment pas réellement, physiquement, mais acquièrent des capacités... différentes de celles des humains. La nuit, ils errent... » Stout laissa s'éteindre sa voix, l'air malheureux.

« Cette maladie n'existe pas chez nous, n'est-ce pas ? » demandai-je.

« C'est là tout le problème. L'écologie particulière de la planète avait tenu le syndrome d'Onza à l'écart, mais maintenant que l'Empereur... »

Stout prit l'expression de détresse de rigueur en cas d'allusion à la Disparition puis il contempla ses doigts, ayant l'air de se demander pourquoi ils s'agitaient ainsi. Sa petite barbiche grise tremblait nerveusement.

« Quel rapport avec l'ambassadeur ? Ne me dites pas que... interrogea madame Ha en se penchant vers le petit médecin.

— Hélas, si. Lord Summer Cedar-Longbow est guépardien. »

Madame Ha se rejeta contre les coussins, tentant de couvrir son soudain intérêt sous un air compatissant.

« C'est terrible. Mais je n'ai aucune compétence en matière de maladies exotiques, savez-vous. Je ne m'occupe que d'ostéopathie.

— Ce sont plutôt pour vos qualités de détective que je suis venu vous voir. » Stout prit une inspiration profonde, avant de se jeter à l'eau. « Le syndrome d'Onza laisse habituellement aux malades toute leur lucidité. Selon les cas répertoriés dans la littérature spécialisée, certains malades finissent même par apprécier leur situation : la nuit, ils se prennent pour un grand félin, le jour, ils sont dans un état normal. Mais Son Excellence souffre également d'hallucinations et de fièvres. Il est contraint de rester alité toute la journée, et perd fréquemment le fil de ses pensées. Dans sa confusion, il dit voir des choses étranges dans la nuit. C'est lui qui m'a envoyé ici, plus ou moins. Il voudrait vous rencontrer. En fait, cela fait plusieurs semaines qu'il me demande de venir vous rendre visite. »

Madame Ha leva une main pour faire signe à Stout qu'elle voulait être sûre de bien comprendre.

« Son Excellence fait d'intéressantes observations la nuit, c'est bien cela ? Et il souhaite m'en parler ?

— Oui... » concéda Stout du bout des lèvres, ajoutant aussitôt : « Mais ses déclarations sont à prendre avec la plus grande prudence. La maladie de Son Excellence se complique de fièvres très délicates à expliquer et son témoignage est donc difficile à prendre en considération. Les souvenirs de ce genre de malades sont souvent un peu confus, sous leur forme guépard ils ne reconnaissent pas toujours les choses pour ce qu'elles sont, l'animal a tendance à prendre le dessus sur l'humain.

— Comment se fait-il que les journaux n'aient jamais fait état de cette étrange maladie ? » demandai-je, certain de sa réponse.

Stout baissa de nouveau la tête pour murmurer l'évidence.

« L'Épi n'a pas été prévenu. »

Une moue désapprobatrice déforma la bouche de madame Ha.

« Regrettable manquement aux règles de la sécurité civile. Toujours cette méfiance de l'ambassade envers le Parlement ?

— Sans doute, madame, sans doute. C'est pourquoi Son Excellence veut faire appel à vos services plutôt qu'à ceux de la Brigade. Il a bien sûr entendu parler de vos brillantes enquêtes... »

La vieille dame esquissa un geste de fausse modestie. J'intervins avant qu'elle ne place son couplet habituel sur les exagérations de la presse.

« N'est-il pas dangereux de laisser l'ambassadeur se promener ? Il n'y a pas de risques de contagion ?

— Non, aucun, fit Stout en secouant énergiquement la tête. La faune de Nouvelle-Murcie peut seule transmettre la maladie. C'est une jeune manticore qui, en griffant Lord Summer Cedar-Longbow, lui a transmis le virus. Depuis, les animaux ont été cantonnés dans un espace spécial de l'ambassade, plus personne ne les approche directement.

— Vous n'allez tout de même pas pouvoir cacher cette maladie une éternité. Il faudra avertir un jour ou l'autre les autorités de l'état de l'ambassadeur.

— J'en ai bien conscience, mais Lord Summer Cedar-Longbow m'a fait jurer de ne rien divulguer... Sauf à vous, bien entendu. »

Il recommença à se frotter les mains et à se trémousser sur son siège.

« Allons donc voir Son Excellence, déclara madame Ha en se mettant sur ses pieds.

— Tout... tout de suite ? »

Stout, mis devant le fait accompli, semblait réticent à agir.

« À l'évidence. Vous avez assez perdu de temps ces dernières semaines, non ? »

Madame Ha traversa le salon à petits pas rapides, saisit une cape près de la porte et disparut en direction du hall. Nous n'eûmes que le temps de nous précipiter à sa suite : elle ouvrait déjà la porte d'entrée.

Chapitre deux

À un regard étranger, la géographie de Spica apparaîtrait sans doute assez singulière. Nichée dans l'un des coins supérieurs de ce que nous continuons à nommer le Palais, notre ville forme un quart de cercle ouvert sur le sud-ouest. Semblable à une arène antique, elle s'évase d'espalier en espalier depuis le Port. Longue est la descente depuis la maison de madame Ha, sur le trente-deuxième espalier nord-est, jusqu'à l'ambassade de New-Mississipi près du Débarcadère — et il est nécessaire de faire ce chemin à pied, vu la rareté des plates-formes taxi.

Nous n'échangeâmes cependant que peu de paroles.

Madame Ha, qui marchait en tête, semblait d'excellente humeur et fredonnait une vieille comptine du Palais. On y parlait de lapin brun et de grille-pain — il me sembla que seul l'amour de la rime justifiait pareille juxtaposition. À moins que j'aie mal entendu.

Le docteur Stout semblait ruminer quelques sombres pensées. La tête inclinée vers le sol, il avançait, la barbiche grise secouée de spasmes.

Pour ma part, je me sentais trop abruti par la chaleur pour envisager de tenir de menus propos.

Nous ne croisâmes pas grand-monde dans les rues ou les escaliers. Spica semblait assoupie sous la cruauté étouffante d'un ciel au bleu presque blessant pour le regard. Un éclat de voix lointain, un aboiement assourdi, le crissement d'un panneau solaire qui se réoriente, le bourdonnement d'une éolienne, ponctuaient brièvement le silence. Un jeune gars torse nu, dévalant la pente en planche sur coussin d'air, nous jeta un « Zantiii ! » plus enjoué qu'agressif lorsqu'il nous dépassa. Madame Ha continua à chantonner comme si elle n'avait rien remarqué, mais Stout esquissa une brève grimace de colère.

La flèche de la tour néo-mississipienne émergeait, péremptoire, de la cohue de bicoques et de capteurs solaires qui s'accrochait à la pente. Comme emplies d'une crainte respectueuse, les petites maisons de bois cédèrent le terrain au parvis de l'ambassade. En exil forcé sur Spica, les Néo-mississipiens ont (tout comme les Néo-troyens) créé leur propre quartier. Construit seulement neuf ans plus tôt, leur députation n'a pourtant pas l'aspect hâtif de la plupart des édifices construits dans les années de désordre qui ont suivi la Disparition. Ses lignes sévères s'élèvent en étages de plus en plus étroits. Sa teinte d'un brun sombre ajoute encore à sa ressemblance avec un vaisseau spatial. Un escalier monumental grimpe noblement jusqu'à un porche d'entrée aux dimensions gargantuesques.

Nos amis néo-mississipiens ne brillent pas par leur modestie. Et ils tiennent à rappeler à tout instant leur origine outre-spicaine. On ignore toujours pourquoi les vaisseaux spatiaux ne peuvent plus décoller. Tout ce que l'on sait, c'est que cette « panne » coïncide avec la Disparition de l'Empereur. Les techniciens n'y trouvent aucune raison logique mais, comme dirait madame Ha dans ses périodes de nostalgie, « la logique, maintenant... »

Deux gardes en uniforme rouge et gris, initialement postés de chaque côté du porche, foncèrent dans notre direction quand nous atteignîmes le haut de l'escalier. Ils ne freinèrent qu'en reconnaissant le docteur. Sévères mais magnanimes, ils nous laissèrent passer : Son Excellence nous attendait.

Les fastes du hall d'entrée donnaient une bonne idée du bâtiment : des kilomètres de dalles brillantes, des murs d'une hauteur assez vertigineuse pour que les toiles d'araignée ne puissent pas se distinguer à l'œil nu. Le cahier des charges de l'architecte devait comporter la possibilité d'un assaut frontal d'une vingtaine d'éléphants. Seul élément de bon goût : la fraîcheur des lieux, bienvenue après l'étuve des rues.

« Les appartements privés de Son Excellence se situent au second » annonça le docteur Stout. Il poussa une colossale porte de bois ouvragé. Ses charnières devaient présenter un beau défi au principe de la résistance des métaux.

Nous suivîmes un long couloir lambrissé qui, après un dernier tournant, s'arrêta devant une porte de métal. Sortant un trousseau, le petit médecin introduisit une clef dans la serrure adjacente. La porte glissa sans bruit, révélant un ascenseur. Nous entrâmes avec révérence dans la cabine spacieuse.

Après une montée en douceur, la porte métallique se rouvrit pour nous révéler une antichambre : vaste, bien entendu, et tapissée de tissu sombre.

Nous eûmes à peine le temps de poser les pieds en dehors de la cabine avant qu'un individu volumineux, contournant précipitamment son bureau, ne fonde sur nous en jetant une formule d'accueil rituelle :

« Que faites-vous ici ? »

L'agressif cerbère était dans la trentaine, sanglé dans un costume gris sombre, sa chevelure impeccablement peignée. Son nœud papillon devait le gêner pour déglutir, d'où sa mauvaise humeur.

Cette fois, le docteur Stout ne frémit pas.

« Bonjour, Lord Zither. Nous venons voir Son Excellence. »

Il eut du mal à avaler sa salive. C'est dangereux, un nœud papillon. On racontait qu'à l'instar des cravates, l'objet pouvait empêcher le sang de parvenir jusqu'au cerveau. Mais il s'agissait certainement de racontars zantis.

« Docteur, vous n'y pensez pas ! Son Excellence n'est pas en état de recevoir qui que ce soit ! »

Sourcils froncés, barbiche frémissante et poings sur les hanches, le docteur Stout affronta le courroux de son adversaire.

« Vous me permettrez d'en être le seul juge : en tant que médecin personnel de Lord Summer Cedar-Longbow, je crois être bien placé pour savoir ce qui peut être fait et ce qui ne peut pas l'être. Ces personnes sont venues voir Son Excellence, à sa demande. »

Il nous désigna d'un vague geste de la main :

« Docteur Ha, monsieur Doulémi, je vous présente Lord Zither Oak-Lowarch, secrétaire particulier de Lord Summer. »

L'homme hocha la tête dans notre direction, avec une mauvaise grâce étudiée.

Sans plus se soucier de lui, le docteur Stout, qui avait perdu toute sa timidité, se dirigea d'un pas ferme vers l'autre porte de l'antichambre. Ma patronne et moi-même le suivîmes sans accorder de regard au secrétaire. Ce dernier ne mit pas en œuvre de nouvelles techniques d'obstruction.

En fait d'appartements privés, le logement de l'ambassadeur de Nouvelle Mississipi ne se constituait que d'une vaste pièce coudée, surchargée de mobilier. Peut-être l'architecte de l'ambassade avait-il conçu un hall d'entrée de si grande taille qu'il ne restait plus assez de place pour le reste ?

Comme les volets des hautes fenêtres étaient tirés, la lumière pénétrant dans la pièce ne permettait pas de distinguer grand-chose. Je devinai dans la pénombre un enchevêtrement de hautes armoires, de bibliothèques, de bureaux et de buffets, le tout recouvert d'objets, cartes dépliées, tapis roulés, bibelots embarrassants ou chandeliers à multiples branches. À mon sens, ce fatras évoquait plus volontiers l'entrepôt de quelque antiquaire que l'appartement d'un ambassadeur — mais qui étais-je pour juger de ces choses-là, moi qui mettais pour la première fois les pieds dans une ambassade ? Pour ne rien arranger à la sensation d'étouffement, une odeur pharmaceutique flottait dans la pièce.

Stout nous guida jusqu'à l'autre branche du L, un peu plus dégagée. Nous passâmes entre des guéridons bancals et des bibliothèques croulant sous le poids des livres. Un grand tapis d'un rouge sourd se devinait sous les fauteuils et les divans. Le lit de l'ambassadeur était une énorme chose à baldaquin, tapie dans un coin sombre comme une bête blessée.

Une voix rauque s'éleva des profondeurs du lit.

« C'est vous, docteur Stout ?

— Oui, Votre Excellence, je suis accompagné par le docteur Ha et monsieur Doulémi », répondit le petit médecin en s'approchant.

Je m'immobilisai au pied du lit alors que l'ambassadeur se relevait sur un amoncellement de coussins. Son physique démentait la faiblesse de sa voix : large d'épaules, la mâchoire carrée, la tête couronnée de longs cheveux bruns en désordre, l'homme avait une présence imposante. Il désigna du doigt un interrupteur, contre l'un des montants du baldaquin.

« Allumez, s'il vous plaît, docteur Stout. »

Un peu de lumière se mit à couler d'un globe de verre posé sur le sol, à la tête du lit. Lord Summer Cedar-Longbow se redressa mieux. Il se cala le dos avec quelques coussins. Sa tension se lisait dans son sourire.

« Madame, monsieur, je vous remercie d'avoir bien voulu me rendre visite. Monsieur Stout a dû vous expliquer dans quelle situation je me trouve ? »

Madame Ha, qui se tenait à côté du docteur, à la droite du lit, sourit discrètement.

« En effet.

— Bien, » fit l'ambassadeur d'une voix fatiguée. Il remonta machinalement vers lui une portion de l'édredon. Sa tête s'enfonça un peu plus dans les oreillers. Il ferma les yeux.

« Vous comprenez, je ne peux rien révéler à personne d'autre, je ne souhaite pas que mon état soit ébruité. » Rouvrant brusquement les yeux, il ajouta d'un ton plus vif :

« Vous me promettez de ne rien dire à personne, n'est-ce pas ?

— C'est délicat, Votre Excellence, nous travaillons fréquemment pour la Brigade et le Parlement.

— Allons donc ! Ce n'est pas un crime, tout de même. Les conseillers et leur clique seront au courant bien assez tôt comme ça. »

Lord Summer Cedar-Longbow s'était redressé dans son lit. De la sueur commençait à perler sur son front. Stout le fit se recoucher convenablement, en lui conseillant de ne pas s'agiter. L'ambassadeur resta un moment silencieux puis se décida de nouveau à parler.

« Des ombres sous la pluie... C'est de cela que je voulais vous parler. Lorsque je me promène la nuit, je vois des ombres sous la pluie... et des lueurs bleues. »

Il ferma les yeux de nouveau, haletant. Madame Ha se pencha sur lui, prenant appui d'une main sur le lit.

« Des ombres, quel genre d'ombres ? En quoi sont-elles suspectes ?

— C'est difficile à dire... Lorsque je suis, disons, en crise, je n'identifie pas les choses de la même manière que d'habitude. Mais à mon réveil, j'ai toujours ce souvenir : des ombres sous la pluie. Des formes bleues, un grillage. Et un sentiment d'urgence, comme si mon incarnation guépardienne voulait me transmettre un message important. Le docteur dit que je souffre d'hallucinations mais je suis absolument sûr d'être sain d'esprit. Absolument. Je me souviens que ces lueurs sont importantes, mais je ne saurais pas dire pourquoi. Je ne me souviens que de cette couleur : bleu.

— À quel endroit, Votre Excellence ? voulut encore savoir madame Ha.

— Je ne sais pas... Tout ce dont je me souviens, ce sont ces lueurs bleues sous la pluie, et le fait que c'est important, anormal... » Lord Summer ferma brièvement les yeux. « *You know : shadows in the rain,* poursuivit-il dans sa langue natale, *I woke up again this morning, and those shadows...* »

Sa voix devint plus faible, se fondant en un marmonnement incompréhensible. Stout se pencha sur son patient d'un air inquiet et nous signifia de nous éloigner. « Sortez, s'il vous plaît, je vous rejoins dans l'antichambre, » murmura-t-il.

« *Shadows in the rain...* » entendîmes-nous encore marmonner l'ambassadeur avant de nous éloigner vers la porte, à l'autre bout de la pièce encombrée.

Nous allions sortir quand Stout se tourna vers madame Ha : « Qu'avez-vous pensé des déclarations de Son Excellence ?

— On ne peut pas en faire grand-chose, je suppose. On ne sait même pas s'il a réellement observé un phénomène curieux, ni à quel endroit. »

Stout haussa des épaules d'un air malheureux.

« Je suis désolé d'avoir eu à vous déranger, mais Son Excellence tenait tant à vous rencontrer... »

Lorsque le secrétaire particulier de Lord Summer Cedar-Longbow nous vit sortir de l'appartement, il se leva de son bureau et, s'efforçant cette fois de prendre un air affable, s'enquit de la santé de Son Excellence.

« Il semble bien malade en effet, » fit madame Ha.

Le docteur Stout, qui arrivait juste derrière nous, déclara en refermant la porte : « Son Excellence est très fatigué. Et il n'y a hélas pas grand-chose à faire. Il faut attendre que cette fièvre retombe. »

La mine de Lord Zither s'éclaira lorsqu'il nous vit prendre congé. Le docteur Stout proposa de nous raccompagner jusqu'au hall d'entrée.

Plantée au sommet de l'escalier monumental, madame Ha resta un moment à contempler le Port et les bas-quartiers. Elle se tourna vers moi pour me proposer de remonter chez nous par un autre chemin. Elle avait des envies de promenade, m'annonça-t-elle avec des plis rieurs aux coins des yeux. J'acquiesçai volontiers : « Dans quelle direction voulez-vous aller ? » Madame Ha me désigna le nord-est d'un geste vague. Nous descendîmes les marches de l'ambassade d'un pas alerte et nous nous enfonçâmes dans une ruelle ombragée.

L'amour que nous portons à notre ville est une des choses qui nous lie. Je suis né à Spica, mais n'ai pas vraiment eu l'occasion d'en explorer le labyrinthe avant que mes parents ne décident de descendre s'installer à Swaraj, une bourgade sous le Palais. Enfant, je ne sortais guère de mon quartier. Je me suis bien rattrapé depuis. J'ai conquis Spica à pied, recoin par recoin, à force d'exploration. Un exercice qui demande beaucoup de patience, de la persévérance à revendre. La Disparition a brouillé toutes les cartes, enseveli tous les repères. Pour sa part, Madame Ha était de ces personnes « étranges » qui avaient toujours préféré habiter dans une des maisons de Spica, même à l'époque de l'Empereur. Il faut reconnaître qu'aux yeux des habitants du Palais, toute personne vivant dans une des villes extérieures passait alors pour un peu bizarre.

Alors que nous cheminions tranquillement pour rentrer chez nous, madame Ha en veine de confidences se mit à me parler du Spica qu'elle connaissait jadis. Elle avait même côtoyé Van Boot, l'architecte de la ville — qu'on n'avait plus revu depuis la Disparition. Elle m'expliqua la vision d'harmonie de Van Boot, le plan symétrique de sa ville érigée sur le pan coupé du Palais. En bas le Port, à mi-hauteur la place Zalamenski, en haut la place de l'Épi. Les rues et les escaliers rayonnant depuis ces pôles. Les espaliers verdoyants, les grandes demeures blanches aux toits soulignés de génoises, les jardins ensoleillés... Aujourd'hui, la verdure cède sans cesse le terrain à une humanité envahissante. Des traboules hasardeuses ont remplacé les allées des parcs, des masures construites de bric et de broc s'entassent en tout sens : les façades de brique, de planches et de cuivre martelé ont supplanté la blancheur élégante. La Disparition a fracassé les rêves de Van Boot, le chaos humain a succédé à l'harmonie architecturale.

Madame Ha nous fit soudain bifurquer dans une cour. Je craignis un instant d'arriver chez des gens, mais le chemin se poursuivait au-delà de l'étroit rectangle de soleil, sous les voûtes irrégulières d'une série de petits immeubles. Madame Ha me réservait une surprise : une fontaine chuchotait dans un encorbellement du mur, tapie dans l'ombre chaude. Une fontaine ! Alors que Spica connaissait tant de problèmes d'approvisionnement en eau. « Tu étais déjà venu ici ? » me demanda madame Ha. Je dus admettre que non. La vieille dame s'assit sur la margelle souple. Son visage restait immobile mais la brillance de ses yeux trahissait son plaisir.

« Autrefois, cette fontaine trônait au centre d'une petite place. » Elle tapota doucement la margelle. « Certaines choses n'ont pas changé, malgré la Disparition. Cette fontaine est toujours vivante. » Je m'accroupis et caressai le bord du bassin : tiédeur et souplesse. Comme les bornes météo que j'avais nettoyées un été. Comme les grands bassins où j'accomplissais une journée par semaine mon travail d'intérêt général. Une fontaine semi-vivante, retenant entre ses lèvres une eau fraîche, alors que tant d'autres bioartefacts s'étaient calcifiés après le départ de l'Empereur. Je relevai le regard vers madame Ha. Un sourire de triomphe s'esquissait à la commissure de sa bouche et aux coins de ses yeux. L'air de dire : Ha, ha ! Tu as encore beaucoup à apprendre, jeune homme !

Chapitre trois

Descendue sur la ville à la faveur de la pluie nocturne, une petite brume avait apporté une agréable fraîcheur dont l'air ensoleillé du matin gardait encore des traces.

Je m'étais levé tôt, pour une fois. Comme j'avais oublié de fermer les volets en me couchant, la lumière venant de la fenêtre m'avait réveillé vers sept heures. Je n'avais pas pu me rendormir ensuite. C'est cependant de bonne humeur que je descendis me préparer un grand bol de céréales pour mon petit déjeuner, bien décidé à flemmarder toute la matinée. Le sort devait hélas en décider autrement : comme les deux jours précédents, il envoya un visiteur sonner à notre porte.

Le coup d'œil que je jetai à travers la petite vitre me révéla la lourde silhouette de monsieur Basel, le surveillant général de la Brigade Urbaine. Le trait le plus évident de son physique était sa mâchoire : son fabricant, distrait, avait dû utiliser le modèle prévu pour une cinquantaine de dents. Basel semblait pressé : il sonna une seconde fois.

« Bonjour, dis-je en ouvrant la porte. Entrez donc. »

C'est ce qu'il fit, s'arrêtant au milieu du hall.

Ni bonjour, ni merci : si par extraordinaire je devais un jour établir une liste des qualités de monsieur Basel, la politesse n'apparaîtrait pas sur le timbre-poste.

« Madame Ha est-elle visible ? gronda Basel.

— Je ne crois pas qu'elle soit déjà réveillée. Que nous vaut l'honneur de cette visite matinale ?

— Un mort.

— Tiens donc. »

Je le plantai là et grimpai quatre à quatre les marches de l'escalier. Madame Ha occupait une mezzanine directement au-dessus de l'entrée : une pièce tendue de grands voiles, qui partaient dans tous les sens comme les pans d'une toile d'araignée. Au centre de cet enchevêtrement excentrique trônait la vieille dame, pelotonnée sur elle-même au sein du vaste lit circulaire. Une lumière tamisée tombait d'un vasistas, derrière l'un des voiles. Madame Ha dormait beaucoup. Elle prétendait qu'étant originaire de la Vieille Terre, elle n'avait jamais pu totalement s'habituer à la longueur du jour de Spica (qui équivaut à 28,3 heures terrestres).

Je dûs secouer l'épaule de madame Ha un bon moment avant d'obtenir une réaction. Elle se retourna enfin sur le dos, entrouvrit les yeux et me fusilla d'un regard noir.

J'intervins avant qu'elle n'eût réuni assez de forces pour se mettre à râler : « C'est Basel. En bas.

— Basel ? répéta ma patronne comme s'il s'agissait du nom d'un légume exotique. Ah oui, Basel ! Que veut-il ? »

Elle se redressa sur un coude et s'adossa à un gros coussin jaune.

« Il a juste parlé d'un mort. Il a son air des mauvais jours.

— Bon, dis-lui que j'arrive... » Madame Ha passa la main dans ses mèches blanches et poussa un soupir.

Madame Ha descendit quelques minutes plus tard pour accueillir Basel, qui prenait racine dans le hall. Il avait refusé de venir au salon ou à la cuisine et n'avait plus émis un seul mot, restant debout à ruminer de sombres pensées. Pour ma part, j'avais regagné la cuisine. Sort contraire ou pas, le petit déjeuner, c'est sacré. D'autant qu'un mort, n'est-ce pas, c'est le quotidien du détective. Pas de quoi s'affoler.

En fait, je bouillais d'impatience d'en savoir plus, mais refusais de m'humilier en laissant paraître ma nervosité.

« Allons au salon, nous y serons mieux, » dit madame Ha en précédant le surveillant général.

Basel s'installa dans le canapé, pendant que madame Ha s'asseyait dans son fauteuil près de la baie vitrée.

« Qu'est-ce qui vous amène ici ?

— Un mort. Ou plutôt, une morte. Le docteur Jong est déjà sur place, mais nous aurions besoin de vos services pour une analyse sanguine rapide.

— S'agirait-il d'un assassinat ? »

Redressée dans son fauteuil, madame Ha fixait le policier avec intensité.

« On le suppose. Ça a tout l'air d'un empoisonnement. »

Madame Ha se leva et dit :

« Eh bien, allons-y. Où est-ce ?

— Dans un immeuble au bord du quartier néo-troyen. »

L'appartement ne consistait en rien de plus qu'une entrée où le peu de place disponible était pris par un portemanteau perroquet, une salle d'eau que je n'eus pas l'occasion de voir, une cuisinette en alcôve, et une pièce servant à la fois de bureau, de chambre et de salon. Le tout donnait sur un étroit balcon qui surplombait les toitures d'une chapelle néo-troyenne. Peu de place, mais pas beaucoup de meubles non plus : un lit, un secrétaire, une bibliothèque basse. Des bouquins s'entassaient un peu partout sur la moquette beige.

Le corps de la jeune fille gisait dans la pièce principale.

Le lit était coincé contre un des murs, entre un placard mural et un bureau. La victime y reposait. Sans le rictus lui déformant le visage, on aurait pu croire qu'elle dormait.

Un homme se penchait sur le corps quand madame Ha, Basel et moi-même entrâmes dans la pièce. Il se releva et se tourna vers nous. Il s'agissait du docteur Jong, le médecin légiste, un homme d'une cinquantaine d'années à la famille de souche asiatique. Il se vantait volontiers de ses origines purement terriennes. Un garde urbain se tenait en faction près de la porte vitrée du balcon. Le connaissant de vue, je lui adressai un signe de tête, auquel il répondit par un sourire en coin.

Le docteur Jong alla au-devant de nous avec un grand sourire. J'échangeai avec lui une poignée de main, il avait la paume sèche, la main petite et nerveuse. Il esquissa ensuite une révérence devant madame Ha.

« Docteur Ha, je suis heureux de vous revoir, comment allez-vous ?

— Et vous-même ? Alors, vos conclusions, pour cette pauvre jeune fille ?

— Il s'agit de toute évidence d'un empoisonnement, mais je n'identifie pas le produit utilisé. Elle est morte durant la nuit, si j'en juge par la température du corps. Entre une et trois heures du matin, je pense. » Il se retourna vers moi : « voulez-vous bien faire l'analyse, s'il vous plaît ? »

M'agenouillant devant le lit, je me penchai sur le cou de la morte. Je relevai les lèvres sur mes deux crocs. Les aiguilles émergèrent de leur fourreau de porcelaine et perforèrent avec précision la trachée artère. Le sang se mit à remonter dans la structure creuse de mes canines. Je fermai les yeux. Il ne s'agissait pas précisément de la partie la plus plaisante de mon boulot ; je ne me retins qu'avec difficulté de grimacer.

Je me redressai après quelques succions, sans oser abaisser les yeux sur le visage mort.

Je réveillai mon mode neural. Le réseau bleuté se mit à flotter devant mes yeux :

(OPTIONS - médecine générale

- médecine virale

- médecine légale)

Je sélectionnai *(menu : analyse chimique)*

Le réseau frissonna puis reprit des contours plus nets. En chiffres et en lettres bleus, s'inscrivit dans l'air le résultat de l'analyse du sang que je venais de prélever. Je cliquai sur *(neutralisation)* puis clignai des yeux rapidement pour remettre en veille le mode neural.

« C'est de la chélonite, » indiquai-je à mon auditoire.

Basel fronça des sourcils et afficha un air perplexe.

« Qu'est-ce que c'est que ça ? »

Le regard de Jong fit un aller-retour du corps de la jeune fille à moi-même.

« De la chélonite ? Intéressant, ça, très intéressant ! La chélonite est un extrait du sang des tortues bleues. Ces animaux font l'objet d'un trafic pour leurs dons hypnotiques... On sait moins que leur sang est un poison foudroyant. Extrêmement rare : je ne l'avais jamais vu utilisé. »

Basel passa sa main sur sa lourde mâchoire, d'un air souverainement las.

« Bon sang, comme si on n'avait pas encore assez de problèmes pour juguler ce trafic de tortues bleues, faut maintenant qu'ils s'empoisonnent avec ! Les gens ne savent plus quoi inventer pour s'entre-tuer. »

Madame Ha profita de cet échange pour s'approcher du corps de la victime. Elle appuya un doigt sur le bras, afin de juger par elle-même du degré de rigidité cadavérique. Elle contempla un moment les longues boucles noires qui formaient une couronne autour du visage puis se dirigea vers la tête du lit. Un verre y reposait, près d'une petite unité musicale.

« Je suppose que les empreintes ont été relevées, monsieur Basel ?

— En effet. »

Prenant le verre, madame Ha le porta à son nez, reniflant le liquide qui restait au fond.

« Du thé.

— Il est probable que ce soit là-dedans que se trouvait le poison, expliqua Jong. Une autre analyse pourrait être concluante. Monsieur Doulémi, s'il vous plaît ? »

Madame Ha me tendit le verre. La fable du renard et de la cigogne me revint à l'esprit, incongrue. Aspirer un fond de verre par les canines ne s'avéra pas des plus aisé. Je renversai sur la moquette une bonne partie du liquide. Je parvins cependant à en recueillir suffisamment pour permettre à mon mode neural d'effectuer une analyse chimique. Je hochai affirmativement la tête : traces de chélonite.

« Thé à la noix de muscade, si jamais la précision vous intéresse, ajoutai-je.

— Pfut ! Les gens ont vraiment de drôles de goûts, siffla madame Ha. A-t-on identifié cette jeune personne ?

— Elle se nommait Nassira Mika, répondit Jong. Elle ne logeait pas dans cet appartement, qui appartient à un certain Khalil Rubi. D'après les papiers qui sont dans le bureau, il travaille pour l'Épi. »

Basel se décolla du chambranle de la porte pour nous dire : « Je vous remercie pour votre collaboration. Je vais maintenant vous demander de partir. L'enquête ne fait que commencer, il va falloir que nous retrouvions ce Rubi, c'est évidemment notre suspect numéro un !

— À votre service, dit madame Ha, avec un sourire courtois. N'hésitez pas à faire appel à nos services. Docteur. (Nouveau sourire poli, en direction du légiste). Tu viens, Ariel ? »

Le surveillant général nous regarda partir avec un regard soupçonneux. Cet homme semble toujours craindre que nous embarquions un cadavre en douce. Dès que nous fûmes dans le couloir, je demandai à madame Ha ce qu'elle avait derrière la tête. Ce n'était pas son genre de laisser passer une occasion de jouer au détective.

« Avant de rentrer, que dirais-tu d'un crochet par l'Épi ? J'ai bien envie d'aller rendre visite à monsieur Talib, pour lui demander de consulter les listes d'employés. On pourrait en apprendre un peu plus long sur ce Khalil Rubi.

— Ben tiens, je suis certain que le surveillant général ne verra pas d'inconvénient à ce que nous nous lancions dans une petite enquête parallèle, ironisai-je.

— Exactement ce que je pensais. »

Chapitre quatre

L'Épi offre l'une des plus belles vues de Spica : les gradins du cirque formé par la ville s'étendent en un fatras de toits emmêlés où le bleu-noir de l'ardoise domine sur les quelques taches orangées de la tuile et sur le gris des terrasses. Le soleil accroche des reflets aux formes oblongues des réservoirs à eau, aux pattes d'araignée des éoliennes et aux pétales des capteurs solaires. Des étages supérieurs de l'Épi, le Parlement de Spica, le spectateur éventuel admire l'étendue immense de la plaine en contrebas du Palais. Les montagnes s'élèvent sur la droite, dans le lointain, comme une muraille grise qui s'atténue en un vert velours de collines à l'approche de l'océan. Par jour de beau temps, ce dernier peut même se saisir du regard comme un trait de brume sombre sur l'horizon. Sur la gauche, la plaine s'étale à perte de vue, seulement rompue un instant par le ruban argenté du fleuve et, à la limite de la vision, par la trace plus claire du chemin des bêtes-qui-murmurent. Il est fort regrettable que la Disparition ait mis fin au tourisme : j'aurai certainement pu gagner ma vie confortablement en tant que guide.

Monsieur Talib, le conseiller à la Sécurité, un homme-chat au pelage d'un brun sombre zébré de bandes plus claires, faisait la preuve d'une belle prestance en dépit d'un léger début d'embonpoint. Contrairement à la plupart des hommes-chats, il avait choisi de s'impliquer dans la gestion de la cité plutôt que de se faire ermite ou chasseur. Simple petite pièce de travail au sein des bureaux de la Sécurité, son cabinet se situait au rez-de-chaussée de la couronne intérieure de l'Épi. Il disait le préférer à l'immense salle d'apparat réservée à son statut près de la Chambre du Conseil.

Lorsque nous arrivâmes, la porte était grande ouverte. Madame Ha n'eut pas à frapper : les oreilles sensibles de

Talib s'orientèrent vers nous et il leva la tête des papiers qu'il était en train de lire. En nous voyant, le conseiller se leva vivement de son bureau et vint vers nous avec un sourire chaleureux.

« Docteur Ha, monsieur Doulémi, quelle surprise ! Comment allez-vous ? »

Nous eûmes droit chacun à une poignée de main énergique et il nous fit asseoir dans les fauteuils qui faisaient face au lourd bureau de bois rouge.

« Que me vaut l'honneur de votre visite ? » Il leva une main pour prévenir toute réponse de notre part et continua d'un ton enjoué : « Non, ne me le dites pas, je m'en doute : vous ne venez me voir que lorsque vous êtes sur une nouvelle enquête. Vous avez besoin de renseignements, je suppose. Alors, que puis-je pour vous ? »

Madame Ha eut un sourire complice.

« On ne peut rien vous cacher. En fait, il ne s'agit pas exactement d'une nouvelle enquête, plutôt d'une certaine curiosité de ma part. Nous venons d'identifier, à la demande de monsieur Basel, le poison qui a causé la mort d'une jeune fille, et je me demandais si je ne pouvais pas pousser l'investigation un peu plus loin.

— Basel ne vous a pas demandé de le faire, j'imagine ? » rétorqua Talib avec un sourire entendu. Il avait l'habitude des toquades de la vieille dame et, par ailleurs, avait souvent fait appel à nos services dans le passé, pour des affaires relevant plus de la Sécurité que de la Brigade, deux domaines fréquemment antagonistes.

« Disons que j'agis à titre de particulier ayant un intérêt dans l'affaire, lui répondit madame Ha.

— Mais vous n'avez pas de client ? » Le conseiller Talib leva les yeux au plafond, feignant l'exaspération.

« Non, pas encore.

— Docteur Ha, vous allez encore avoir des ennuis avec la Brigade ! »

Il rabaissa son regard vers nous.

« Enfin, posez-moi vos questions, je verrai si je peux vous répondre sans trop marcher sur les plates-bandes de monsieur Basel.

— Une employée de l'Épi a été retrouvée empoisonnée dans une maison du quartier sud-ouest. Elle se nommait Nassira Mika... »

Madame Ha s'interrompit en voyant changer l'expression de Talib : son sourire disparut à l'énoncé du nom de la victime et ses pupilles se rétrécirent.

« La connaissiez-vous, monsieur Talib ? demanda madame Ha.

— Et comment ! C'était un de mes agents ! » Les oreilles du conseiller s'aplatirent sur sa tête et son visage durcit soudainement. « Pauvre Nassira, un peu caractérielle mais un agent très efficace... A-t-on une idée du coupable ?

— Peut-être : elle a été tuée chez un autre de vos employés, selon toutes les apparences. C'est ce que nous venions vérifier. Khalil Rubi fait bien partie du personnel de l'Épi ? »

Les pupilles de Talib se réduisaient maintenant à deux fentes. Le conseiller hocha lentement la tête.

« Inutile de consulter des fiches pour vous répondre : Khalil Rubi émargeait bien auprès de mes services. Mais vous faites fausse route : il ne peut pas être l'assassin. C'est inimaginable. Nassira et Khalil travaillaient ensemble. Ils étaient très amis. Dans quelles circonstances exactes Nassira est-elle morte ?

— Elle a bu du thé empoisonné à la chélonite. C'est arrivé dans la nuit d'hier à aujourd'hui, au domicile de Khalil. »

Talib resta un moment silencieux, l'air songeur. Il fit basculer son fauteuil contre les rayonnages de la bibliothèque et s'y appuya, les bras croisés.

« Décidément, vous avez été bien inspirés de venir me voir. Vous ne foulez pas seulement les plates-bandes de Basel, vous piétinez les miennes ! Nassira Mika et Khalil Rubi surveillaient les activités du quartier sud-ouest. Ils enquêtaient plus particulièrement sur le trafic de tortues bleues.

— Le docteur Jong a fait allusion à ce trafic, mais je ne sais pas de quoi il s'agit, » fit madame Ha.

Talib se laissa retomber et planta ses deux coudes sur le dessus de son bureau.

« C'est une affaire un peu trop complexe pour être expliquée rapidement. Disons que c'est en rapport avec une drogue d'un genre nouveau. Et si de la chélonite a été utilisée pour tuer Nassira, c'est que ce meurtre est certainement connecté à son enquête. Il faut absolument retrouver Khalil.

— Il ne gardait pas de contact avec d'autres agents de la Sécurité ? demandai-je.

— Si, un autre de mes agents est basé sur le quartier. Attendez une seconde. »

Talib se leva de son bureau pour aller ouvrir un classeur métallique à tiroirs, sous l'unique fenêtre de la pièce. Il revint vers nous avec une feuille de papier à la main.

« Voilà : mademoiselle Tey. Elle s'occupe plutôt du proxénétisme, mais saura peut-être vous dire sur quoi Nassira et Khalil travaillaient précisément.

— Vous ne recevez pas de rapport régulier ? » demandai-je encore.

L'homme-chat secoua la tête négativement.

« Mes agents sont très indépendants, ils ne me font de rapports que lorsqu'ils ont abouti à des résultats importants... »

Je pris la fiche qu'il me tendait.

« Troisième espalier sud-ouest, n° 4891.

— Je ne sais pas trop bien comment agir, » dit Talib, qui était resté debout près du bureau, l'air de nouveau songeur. « Le seul autre agent que j'aie dans le secteur est déjà employé à 100 % et, de plus, il ne doit pas trahir sa couverture. »

Madame Ha découvrit ses dents carnassières ; ses yeux brillaient : Talib allait lui permettre de s'insinuer dans cette affaire de manière officielle.

« Nous pourrions prendre en charge cette affaire. Vous disiez tout à l'heure qu'elle regardait la Sécurité, vous pouvez donc nous confier l'enquête. »

Talib eut l'air amusé.

« Vous avez de la suite dans les idées, madame. Je ne savais pas comment vous le demander... Mais attention, ne vous occupez que de la recherche de Khalil. Je ne veux pas de querelle avec la Brigade !

— Ne vous inquiétez pas, monsieur Talib, nous serons discrets. Je vais déjà charger Ariel d'aller voir cette demoiselle Tey, on verra bien ce qu'elle pourra nous apprendre... »

Madame Ha se leva et je l'imitai.

Nous raccompagnant jusqu'à la porte de l'ascenseur, Talib nous conseilla de nouveau la prudence : « Cette affaire peut se révéler dangereuse ».

Chapitre cinq

Je manquais de sommeil, la réunion de Zantis à laquelle j'avais participé s'étant prolongée jusqu'à très tard dans la nuit. La fraîcheur du matin avait disparu avec la brume et le soleil cognait à nouveau de bon cœur sur les rues. Je ne me sentais pas exactement au mieux de ma forme, la tête légère et les jambes lourdes. Il fallait pourtant que j'aille voir l'employée de Talib, mademoiselle Tey.

La maison de celle-ci se situait au bord du Toit, à l'autre bout du quartier sud-ouest par rapport à l'appartement de Khalil Rubi. Je descendis donc vers le Port, laissant derrière moi les cinq derniers espaliers, seuls survivants d'une époque moins surpeuplée. Les longues maisons blanches firent place aux habituelles petites constructions branlantes et immeubles bas qui s'agglutinent sur la plus grande part de la ville. Je m'étonnai souvent des paradoxes de cette installation hâtive. Tout le monde avait dû se reloger, après la Disparition. La population de la planète, vivant en majorité dans le Palais depuis plus d'un siècle, s'était éveillée un triste matin dispersée hors du bâtiment. Personne n'a jamais pu y pénétrer de nouveau. Ni n'a jamais revu l'Empereur... Les hommes ont donc rebâti leur existence dans l'enchevêtrement de la ville au bord du Toit. Façades de planches, de plaques de cuivre, de briques et de chaux blanche se bousculent désormais pour trouver une place au soleil, surmontées par un fatras d'éoliennes, de capteurs solaires, de réservoirs et de tuyauteries.

Les rues étroites bruissaient d'activités, hommes porteurs de seaux d'eau, femmes papotant à l'ombre d'une toile, enfants se courant après en criant joyeusement... Un bruit de martèlement résonnait dans la ruelle. Je levai les yeux : un éclat de lumière m'éblouit brièvement, reflet du soleil sur le cuivre. Un homme, perché sur une échelle en bois, s'appliquait à reclouer un panneau de métal froissé. Je continuai ma route, en évitant la boîte à outils répandue au sol. Un chat coula un regard méfiant dans ma direction et disparut entre deux planches disjointes. Au-dessus de nos têtes, du linge claquait au vent et des panneaux solaires grinçaient doucement. Le cœur léger, je retrouvais dans cette animation brouillonne la vie que j'avais connue étant enfant. Une senteur de pain chaud me ramena des années en arrière. Mes parents habitaient alors une de ces arrière-cours poussiéreuses. Même l'odeur de moisi exhalée par un soupirail me rappela le chemin de l'école. Un illuminé avait badigeonné des slogans religieux sur un escalier — des slogans zantis lui répondaient à la peinture bleue, marche après marche. Des oriflammes bleues, couleur des Zantis, pendaient à certaines fenêtres.

Dix-sept ans après la Disparition, nombreux sont ceux qui s'interrogeaient enfin sur la nature de l'Empereur. Il avait été le premier habitant du Palais — un indigène ? Nos maigres archives n'en parlaient pas. Nous savions qu'il avait accueilli les premiers vaisseaux. Et qu'il s'était mis ensuite à s'occuper du confort des colons. D'où venait-il, réellement ? Qui était-il ? Maintenant qu'il avait disparu, nous commencions à admettre l'étrangeté de cette situation — pourquoi personne n'avait-il jamais vraiment tenté de comprendre sa véritable nature, alors que nous vivions avec lui ? Le mot « dieu » n'avait jamais été prononcé — pas encore — et cependant, l'idée faisait son chemin chez certains, combattue par d'autres, désireux de couper le cordon ombilical : les anti-ombilicaux, plus fréquemment nommés les Zantis.

Je quittai peu à peu la confusion des venelles pour les artères ordonnées du quartier néo-troyen. Ici, les escaliers reliant les rues s'élargissaient, les passants se faisaient rares. Tout dans leur éducation, dans leur mentalité, interdit le désordre aux centaures. Soucieux de leur tranquillité, ils ne se mêlent guère au reste de la population. Originaires d'une planète au soleil moins vif que celui de Spica, les centaures abritent derrière leurs murs la pénombre de jardins sous serre.

Refermées sur le demi-jour de leurs cours intérieures, les grosses résidences carrées opposent un ordre austère à la prolifération des habitations plus précaires. Le n° 4891 sud-ouest était une des rares maisons à posséder une façade directement sur la rue. Elle prenait des allures de pagode, avec les bords relevés de son toit. Une petite porte de bois s'ouvrait dans un mur couronné de lierre. Je m'approchai de cette seule ouverture visible sur la rue. Peut-être me trompais-je et fallait-il passer par une autre rue ? Je ne voyais aucun signe d'une sonnette. J'avais l'impression de me trouver à l'arrière de la maison. Pourtant, cette façade arborait bien la petite plaque émaillée « n° 4891 ».

J'allais rebrousser chemin pour jeter un coup d'œil de l'autre côté, quand la porte s'ouvrit sur une jeune femme.

« Je vous ai vu approcher : je suis ravie de vous voir. Mais entrez donc. »

Grande et mince, vêtue d'une redingote noire très cintrée, mademoiselle Tey avait les épaules couvertes d'un renard ayant dû mourir de gigantisme. Les boucles rousses de sa chevelure lui tombaient sur les épaules, se confondant presque avec la fourrure de l'animal. Étrange idée que de mettre une fourrure par une chaleur pareille. Le conseiller Talib ne recrutait pas du personnel des plus discrets. Mais, à bien y réfléchir, mademoiselle Tey s'attachait aux affaires de proxénétisme : peut-être était-ce la tenue idéale pour passer inaperçue dans le milieu.

J'acceptai l'invitation à entrer. Je me retrouvai sous une vigne, sur un petit sentier pavé longeant la façade couverte de lierre et menant au perron de la pagode.

« Mademoiselle Tey ? Je viens... commençai-je.

— Vous êtes le fameux Ariel Doulémi, l'associé du docteur Ha, n'est-ce pas ? » me coupa-t-elle d'une voix haut perchée.

Je levai un sourcil, assez surpris d'être taxé de célébrité. D'ordinaire, on me traitait plutôt de gamin.

« Lui-même. Mais je ne suis que l'employé du docteur Ha, qui...

— Vos exploits font souvent la une du *Temps*. Qu'est-ce qui vous amène chez moi ? » m'interrompit-elle de nouveau.

Renonçant à placer une longue phrase, je déclarai simplement venir de la part de monsieur Talib. Bien m'en prit, car elle se saisit encore de la parole.

« Venez donc vous asseoir dans le jardin, il y fait très bon. »

Elle me conduisit à travers une pelouse ombragée par un énorme tilleul et m'entraîna, de l'autre côté de l'arbre, dans un dédale de buissons. Nous parvîmes finalement à un espace où trônaient une table et quatre chaises de fer forgé blanc. L'herbe envahissait les interstices irréguliers des dalles de pierre.

J'eus à peine le temps de m'asseoir que mademoiselle Tey déclarait de sa voix haut perchée qu'il faisait sans doute un peu trop chaud aujourd'hui pour ce renard. Elle s'éclipsa en s'excusant avec force manières. Des gloussements ponctuaient ses propos. S'agissait-il d'une idiote intégrale ou d'une comédienne hors-pair ? Une telle tornade aurait fait fuir les galants les plus zélés.

Mes réflexions misogynes en étaient à ce point quand mon hôtesse revint. Elle avait troqué redingote et renard contre une robe verte très légère, au décolleté étourdissant. Prenant l'une des chaises blanches, elle s'assit à son tour.

« Je suis à vous, monsieur Doulémi. Je suppose que vous vouliez me poser des questions ?

— Oui. Monsieur Talib nous a appris que vous étiez un de ses agents ? »

Elle opina du chef.

« J'aimerais vous interroger sur vos collègues, Mika et Rubi. Vous les connaissez bien, je suppose ?

— Pas vraiment. Je les vois de temps en temps, puisque nous sommes sur le même secteur, mais à vrai dire nous travaillons séparément. Nous ne nous entendons pas très bien ; incompatibilité de caractères. Nous n'opérons pas du tout de la même manière : Nassira et Khalil travaillent sous couverture, tandis que j'agis au grand jour. On peut dire, en quelque sorte, qu'ils se prennent pour des agents secrets, tandis que je suis plutôt une sorte d'assistante sociale... »

Une lueur d'intelligence passa fugitivement dans ses grands yeux :

« Mais ils n'ont pas eu d'ennuis, au moins ? »

J'adoptai mon sourire numéro sept bis (« expression contrite ») : « Si, j'en ai bien peur. Mademoiselle Mika a été retrouvée morte.

— Morte ? Ce n'est pas possible. Que lui est-il arrivé ?

— Elle a été empoisonnée. les soupçons se portent sur Rubi...

— Khalil ? Vous croyez qu'ils se seraient disputés à ce point ? »

Je me retins de rire devant ses mimiques de stupéfaction. Dévorée par la curiosité, Mademoiselle Tey se trémoussait sur son siège en tentant de se montrer apitoyée.

« Généralement, on n'empoisonne pas quelqu'un sur un coup de tête.

— Oui, vous avez raison, bien sûr. Ils avaient l'air de bien s'entendre, ajouta-t-elle, continuant sur son idée. Alors on a arrêté Khalil ?

— Non, c'est pourquoi je vous rends visite. On ignore où se trouve monsieur Rubi. J'aurais besoin de tous les détails que vous pouvez donner sur ses activités.

— Oh, je ne sais pas grand-chose. Je vous l'ai dit, ils opéraient sous couverture, Nassira et lui. Ils enquêtaient sur les drogues, ce genre de choses. Je m'occupe surtout de la prostitution. Je les ai croisés la dernière fois lors de la réunion, à l'Épi, voici deux mois. Oui, c'est ça, deux mois. Je n'ai pas beaucoup parlé avec Khalil, il m'a juste confié avoir découvert une filière du côté des Néo-troyens, sans plus de détails. »

Elle tapota les boucles rousses qui coulaient dans son cou.

« Vous ne savez rien de plus ? Ses amis, ses relations, son lieu de travail ?

— Rien du tout. »

Elle accompagna cette dernière réponse d'un sourire plus vorace que désolé.

« Et physiquement, comment est-il ? »

Elle eut encore un gloussement.

« C'est un beau garçon. Pas autant que vous, bien sûr. Il mesure dans les un mètre quatre-vingts. Le front largement dégarni, les cheveux châtains. Une moustache, aussi, coupée très courte. Je n'aime pas beaucoup les moustaches mais je dois dire qu'elle lui va bien. Jeune, bien sûr : vingt ans, je crois. Comme vous, je me trompe ? »

Nouveau sourire concupiscent.

« Hum, non, j'ai dix-neuf ans.

— Si jeune ? J'adore les jeunes gens ! Vous savez, vous me rappelez mon premier petit ami. À part pour le vampirisme, bien entendu... Ce n'est pas courant, ça. Je ne connais pas de prostituée vampire. N'existe-t-il pas des femmes vampires ? »

Elle rapprocha sa chaise de la mienne ; je commençais à ne pas me sentir rassuré. On ne m'avait encore jamais dragué durant une enquête. Je bredouillai une réponse :

« Si, il y a quelques femmes. Mais les hommes-chats donnent rarement ce don à des humains.

— Et que faites-vous de ce don ?

— En général, nous sommes des guérisseurs.

— Rien d'autre ? Je vais vous avouer quelque chose : je vous trouve très mignon. »

Elle approcha sa chaise encore un peu, posa sa main sur mon bras. Je n'osais plus bouger.

« Vous êtes timide, il ne faut pas, vous savez. Je ne vous mangerai pas. Je n'ai jamais couché avec un vampire... Pourtant, j'ai déjà couché avec un homme-chat, ajouta-t-elle comme si ça expliquait tout.

— Je dois partir, » dis-je en me levant. Je sentais mes joues virer au rouge vif.

« Déjà ! Vous n'avez donc plus de questions à me poser ? »

Elle se leva à son tour, tout sourire.

« Je suis désolée de n'avoir pu vous renseigner davantage. Les agents de la Sécurité sont très indépendants... Mais vous reviendrez, n'est-ce pas ?

— Je ne peux vous l'assurer... »

Je devais maintenant être écarlate et n'avais plus qu'une hâte : sortir au plus vite de l'antre de cette nymphomane.

« Pourquoi pas ? Vous n'aviez pas l'air timide, pour me poser vos questions. Mais vous avez éludé toutes les miennes, ce n'est pas gentil...

— Merci de votre amabilité, » dis-je en battant en retraite vers la maison.

Quand elle me rejoignit, je posai la main sur la poignée de la porte d'entrée.

« Quelle timidité ! Il ne faut pas... »

J'ouvris la porte et avant de partir, lui lançai :

« Désolé, mademoiselle, je préfère les garçons. »

Elle eut un hoquet sidéré et resta plantée dans l'entrée de sa pagode. Je pris la fuite aussi rapidement que me le permettait un restant de dignité.

Dés que j'eus tourné à l'angle de la rue, je m'arrêtai pour reprendre mon souffle. La vamp et le vampire ! Il avait bonne mine, le vaillant détective. Je m'étais couvert de ridicule, mais j'en conçus à la fin plus d'amusement que de honte. Je me mis à rire, frappé par l'absurdité de cette rencontre. Un passant me jeta un coup d'œil intrigué. Mon rire éclata de plus belle.

Lorsque je revins chez nous, madame Ha était de retour de ses rendez-vous médicaux. Attablée sur la terrasse, elle se resservait copieusement de légumes à la sauce vinaigrette. La silhouette menue de ma patronne se noyait dans un peignoir trop ample, d'une agressive couleur jaune.

Madame Ha se tapota la bouche avec une serviette : « Je viens d'avoir Talib au téléphone. Il avait omis de nous prévenir de l'amour immodéré que porte mademoiselle Tey aux jeunes gens. »

Incrustés dans un visage impassible, ses yeux brillaient de malice. Je me laissai tomber sur une chaise en face d'elle.

« Sans blague ? Heureusement que vous me prévenez, ce détail aurait pu m'échapper. »

Je chipai un brocoli dans le saladier et, en le croquant, ajoutai :

« S'occuper du secteur proxénétisme lui va comme un gant. Je ne retournerai pas chez elle de sitôt : j'avais rarement vu aussi givrée.

— Cette terrible nymphomane t'a-t-elle appris quelque chose, au moins ?

— Pas grand-chose. »

Abandonnant madame Ha sur cette réponse laconique, je me relevai afin d'aller prendre à la cuisine une assiette et des couverts.

« Ou bien elle ne sait réellement rien, dis-je en revenant sur la terrasse, ou bien elle est particulièrement douée pour jouer les imbéciles. Elle prétend n'avoir noué que peu de contacts avec ses deux collègues. Elle ne connaît ni leurs relations ni leurs occupations. Elle m'a simplement décrit Rubi, qui aurait parlé d'une piste néo-troyenne. C'est tout. De votre côté, vous avez eu des nouvelles de Basel ?

— Oui, indirectement. Monsieur Talib m'a informé que Basel lui avait rendu visite. Il semble avoir encaissé avec philosophie le fait que nous soyons également chargés de retrouver Rubi. »

Madame Ha alla chercher une feuille dans le salon, qu'elle me tendit : « Talib nous a envoyé la photo de Rubi. J'ai bien envie de me rendre à mon tour chez Miss Tey. Je pourrai peut-être mieux lui tirer les vers du nez que toi.

— Vous m'ôtez les mots de la bouche, dis-je avec un grand sourire.

— Tu ne t'imagines pas que tu vas rester ici à te tourner les pouces, non ? Tu vas m'accompagner, tu feras le guet et tu la fileras dés qu'elle sortira. »

Elle ajouta, comme après réflexion :

« Au fait, quelle est son prénom, à cette jeune femme, déjà ?

— Rose, » répondis-je sans sourciller. Je fis mine d'être trop accaparé par le contenu de mon assiette pour remarquer son air hilare.

Chapitre six

Un bon point pour madame Ha : je n'eus pas longtemps à faire le pied de grue devant la pagode.

Ma patronne ressortit de chez mademoiselle Tey vers trois heures de l'après-midi, après un entretien qui n'avait pas duré plus d'une demi-heure. Assis sous un amandier, de l'autre côté de l'avenue, je me tenais hors de vue de la porte du n° 4891. Mademoiselle Tey ne tarda pas à quitter son domicile.

Elle portait la même robe verte que ce matin, sur les épaules de laquelle reposait un grand foulard blanc. Après avoir donné un tour de clef au portail de bois de sa demeure, elle descendit l'avenue sans un regard autour d'elle, dans la direction inverse de celle prise par madame Ha. Je lui emboîtai le pas avec discrétion. Cet exercice était l'un des principaux enseignements de mes deux ans d'emploi au service de madame Ha. Suivre mademoiselle Tey ne présenta guère de difficultés. Nous fîmes de conserve une longue balade à travers la ville.

Ma principale crainte résidait dans l'éventualité qu'elle se fût lancée dans une tournée d'inspection professionnelle. Genre « tiens, je vais aller au bordel bidule voir si tout va bien, et visiter le maque du coin ». Je fus vite rassuré : elle tourna à gauche et se dirigea vers le quartier des magasins. Après avoir un moment cheminé entre les murs des jardins, nous prîmes le grand escalier des Monts Bleus, qui débouchait sur une grande rue commerçante, l'allée des micocouliers. Il devint rapidement inutile d'essayer de me dissimuler. Je devais au contraire prendre garde à ne pas perdre la trace de ma proie. En dépit de la chaleur écrasante, les rues grouillaient de monde.

Mademoiselle Tey pénétra tout d'abord dans une petite boutique de tissus, dont l'enseigne d'un jaune criard garantissait la meilleure qualité. Mademoiselle Tey y demeura une bonne demi-heure, à tripoter des doublures et à bavarder avec la vendeuse. Elle se décida finalement pour une pièce de satin d'un vert acide.

Nous repartîmes ensuite vers la place Zalamenski. Un vent brûlant courait dans les avenues. Mademoiselle Tey s'installa à la terrasse d'un bar au nom original — « Le Zalamenski ». J'y avais servi (et un peu travaillé) des années plus tôt.

La voyant commander, je décidai de l'imiter et m'installai à la terrasse d'un autre café, non loin de là. La serveuse, une petite grosse tout sourire, vint s'enquérir de mes désirs. Je lui demandai un verre de lorizon. À en juger par la mine qu'elle afficha, ma commande lui ouvrait les portes du Paradis. La fraîcheur poivrée du lorizon me fit du bien.

Mademoiselle Tey se contenta d'un café, qu'elle but à petites gorgées prudentes. Ses yeux erraient sur la foule couvrant la place, sans la voir. Le bruit d'une commotion en haut de l'avenue la tira de ses pensées. Des applaudissements éclatèrent, bientôt suivis de lazzi et d'exclamations dépréciatrices. Un groupe de Zantis fendait la foule de piétons qui encombrait la chaussée. Un grand chariot les talonnait, sur lequel dansaient d'autres contestataires. Manifestants et véhicule étaient également revêtus de bleu — du moins pour ceux des Zantis qui portaient des habits. Ceux qui étaient nus portaient des symboles astrologiques de couleur bleue peints à même la peau.

Au bistrot d'en face, beaucoup de gens s'étaient levés mais mademoiselle Tey demeurait assise. Profitant de la bousculade, je changeai de table afin d'avoir une meilleure vue sur ma proie. Elle contemplait d'un air placide le défilé des provocateurs.

L'INDIFFÉRENCE EST COMMODE clamait une banderole, tenue à bout de bras par un homme échevelé à l'air hilare. À ses côtés, sur le chariot, deux jeunes femmes s'embrassaient avec une passion non feinte. Mon regard faisait un aller-retour incessant entre le tableau mouvant des Zantis et la forme immobile de mademoiselle Tey. Un fruit vint s'écraser sur la poitrine dénudée du porteur de banderole, qui éclata de rire sans se soucier d'essuyer le liquide maculant les signes cabalistiques qui le couvraient. Je jetai encore un coup d'œil vers Tey. Elle sirotait toujours son café. Un cri s'éleva derrière moi : « Se guardo il cielo non lo sfioro neppure ! »

Si je regarde le ciel, je ne l'effleure même pas : l'un des slogans zantis. Un homme poussa un juron et quitta mon champ de vision pour se précipiter le poing levé vers celui qui venait de crier. Je gardai la tête tournée vers mademoiselle

Tey. On me bouscula, le Zanti et son adversaire ne se battaient pas encore mais se poussaient l'un l'autre de plus en plus brutalement. Un mouvement flou, que je ne saisis que du coin de l'œil : le Zanti avait sorti une bombe de peinture, il se mit à arroser l'autre de liquide bleu. Le parfum âcre de la térébenthine s'éleva dans l'atmosphère. La foule qui se tenait debout au bord de la Grande Avenue engloutit le farceur, qui riait silencieusement, et sa victime postillonnante. Le chariot zanti bifurqua vers la gauche, s'éloignant déjà. Mademoiselle Tey contemplait sa tasse sans la voir. Une idée m'était venue, que je me promis de soumettre à madame Ha.

Le soleil aggravant ses ravages, les patrons du bar jugèrent utile de dérouler la toile de l'auvent. Mademoiselle Tey choisit malheureusement ce moment pour se lever et poursuivre ses courses. J'achevai en hâte mon fond de verre et m'accrochai de nouveau aux talons hauts de la nympho.

Cette fois-ci, elle jeta son dévolu sur un grand magasin, après avoir fait un peu de lèche-vitrines devant les boutiques de fringues de l'escalier des Rouges-mains. Je slalomai entre les étalages de pulls et ceux de tee-shirts, pris l'escalator à sa suite et la regardai depuis le rayon chaussures demander une pile au rayon horlogerie.

Cela fait, elle redescendit et ressortit dans la rue, après avoir pris un petit pain aux algues au stand de nourriture en bas de l'escalator. J'étouffai un bâillement. Mademoiselle Tey s'arrêta afin de consulter sa montre. Je m'effaçai derrière un panneau indicateur, par crainte qu'elle ne me découvrît en relevant la tête.

Fausse alerte : elle repartit d'un pas rapide, en direction du Central Téléphonique. Je commençai à en avoir plein les jambes de grimper et dévaler les rues et les escaliers, mais elle ne semblait pas encore fatiguée.

Entrant dans le Central, elle demanda un jeton téléphonique à un guichet. Planqué dans une cabine voisine, je la regardai tourner le clavier : impossible de déchiffrer le numéro. Elle écouta un moment, raccrocha et recomposa son numéro. Même échec. Elle n'était pas la seule à avoir des problèmes. Les gens sortaient tous des cabines, ils commençaient à s'agglutiner devant les guichets afin de protester. Mademoiselle Tey resta un moment à contempler le cornet inutile, l'air ennuyé, puis consentit à raccrocher. Elle sortit d'un pas vif.

Il ne s'agissait pas d'un nouveau mauvais tour des Zantis, contrairement à ce qu'une femme supposa d'une voix aigre. L'explication de la panne passait dans le ciel : mademoiselle Tey la contempla, en bas des marches du Central, l'air toujours soucieux. Dans la rue, d'autres passants s'arrêtaient, le nez en l'air.

J'imaginai un instant que ma nympho allait rentrer chez elle, mais me rendis rapidement compte de mon erreur : elle se dirigeait vers l'Épi. J'évitai de justesse un môme en planche à coussin d'air, qui dévalait l'escalier en trombe.

Parvenu à l'entrée du bâtiment de la Sécurité, je résolus de ne pas adresser la parole au garde. Il fut d'accord. Triste profession, que de devoir ainsi faire le piquet, sans un geste, ni un mot.

Je me contentai de patienter dans l'entrée. Si j'avais parié avec moi-même j'aurais gagné : mademoiselle Tey fila dans le couloir menant au bureau du conseiller Talib.

Une demi-heure s'écoula avant qu'elle ne quitte l'Épi, pour rejoindre le secteur néo-mississipien. Ses pas la menèrent à un endroit que je connaissais pour l'avoir visité le jour précédent : la haute tour sombre de l'ambassade du New-Mississipi. Pas question cette fois de m'y introduire, eu égard aux deux gardes en rouge et gris. Je dus attendre dehors qu'elle daigne ressortir. Je me plaquai contre un mur, moins dans l'espoir de passer inaperçu que dans celui de profiter de la faible ombre portée.

« Ensuite, elle est revenue chez elle directement, dis-je, finissant de faire à madame Ha mon rapport sur la filature de l'après-midi. J'ai encore attendu presque deux heures devant chez elle et me voilà. »

Madame Ha garda le silence un instant, une expression pensive sur son visage ridé. Elle se balançait doucement dans son fauteuil, un livre à la main.

« La manifestation m'a donné une idée. L'ambassadeur nous a parlé de formes bleues, l'autre jour, » ajoutai-je. Madame Ha releva son regard vers moi. Elle esquissa un sourire :

« Je crois deviner où tu veux en venir.

— Le bleu est la couleur des Zantis, et ils agissent la nuit.

— En effet, les formes et les lueurs bleues dont Lord Summer se souvient ont fort probablement un rapport avec les activités nocturnes des Zantis. Mais pourquoi l'ambassadeur s'en alarmerait-il ?

— Je ne sais pas, il est malade, confus...

— C'est vrai, admit-elle. Mais le bleu n'est pas seulement la couleur des Zantis, c'est aussi celle de ces fameuses tortues.

— Il ne faut peut-être pas voir des tortues bleues partout, dis-je en faisant la moue.

— Puisque tu fréquentes le mouvement zanti, je compte sur toi pour ouvrir toutes grandes tes oreilles, quand même, hum ?

— Bien sûr. Mais à ma connaissance, les Zantis se contentent de fumer de l'arésite, ce qui n'est ni secret ni dangereux...

— Il serait bon, également, que tu glanes quelques informations sur les tortues bleues elles-mêmes.

— Talib a soigneusement évité de nous expliquer en quoi consiste le trafic, n'est-ce pas ?

— Comme à son habitude, » fit madame Ha avec un léger haussement d'épaules. « Je suppose que la manie du secret est une conséquence obligatoire de ses responsabilités... » Elle se replongea dans ses réflexions. « Tu ne m'as pas dit pourquoi mademoiselle Tey n'avait pas pu téléphoner depuis le Central ? me dit-elle au bout d'un instant.

— Approchez, vous comprendrez. »

Je fis coulisser l'un des panneaux vitrés donnant sur le jardin.

Madame Ha me suivit dehors, intriguée.

« Regardez. Quand il en apparaît, les communications connaissent toujours des problèmes. »

Madame Ha leva les yeux pour suivre la direction indiquée par mon doigt : une baleine-ciel naviguait tranquillement dans le ciel. Le mastodonte déchirait les nuages teintés d'ocre comme un cachalot fendant les vagues.

Originaires de l'est du continent, ces animaux paisibles dérivaient rarement jusqu'au Palais. Mais lorsque ça survenait, les habitants du Toit devaient prendre leur mal en patience et attendre le départ de la grande ombre pour d'autres cieux.

« Belle bête, n'est-ce pas ?

— Superbe, me répondit madame Ha avec un sourire rêveur. Ça faisait des années qu'il n'y en avait pas eu... Elle doit être très âgée, regarde sa taille. Cette traîne immense et cette longue mâchoire... Je crois bien que je n'en avais jamais vu d'aussi vieille.

» Il parait qu'il faut faire un vœu quand on aperçoit une baleine-ciel, » ajouta-t-elle avec un petit rire.

Nous restâmes un long moment à contempler le vol plané du mastodonte au sein des nuées. Le coucher de soleil teintait la scène d'une magie frémissante.

Chapitre sept

Entre les exigences de l'enquête et le plaisir des remous zantis, je vivais beaucoup à l'extérieur, ces derniers temps. Un nombre sans cesse croissant d'habitants de Spica était dans mon cas. Ç'avait d'abord été les jeunes, la génération d'après la Disparition. Mais la société craquait aux entournures, des personnes de tous les âges rejoignaient le mouvement. Initiée par une poignée d'étudiants, l'idée de couper le lien ombilical que Spica entretenait encore avec le mystérieux Empereur, dix-sept ans après sa Disparition, apparaissait chaque jour plus séduisante. Bon enfant, le mouvement avait débuté par des opérations aussi symboliques que spectaculaires, comme repeindre en bleu les cheminées des entreprises les plus polluantes de la banlieue. Un groupe de Zantis était intervenu durant une session du Parlement, demandant que l'on prenne de nouvelles mesures pour la distribution de l'eau.

Je vivais de plus en plus dehors, arpentant les rues de la cité avec de petits groupes rieurs, autant pour le plaisir de sentir le vent que par amour des théories poético-révolutionnaires développées par certains. Par réflexe professionnel, je me tenais au courant de tous les potins du mouvement, mais sans vraiment attacher d'importance aux inquiétudes dont Lord Summer nous avait fait part. Pour la première fois de ma vie, je me découvrais une conscience politique, et des aspirations à changer notre société.

Couper le lien. Être libre comme le ciel. Refuser l'indifférence, rejeter l'image de l'Empereur comme divinité, repousser le poids de ce père abusif. Mais aussi, surtout, peinturlurer d'azur (la couleur de ce ciel que le Sort nous refusait) le perron de l'ambassade néo-mississipienne, bombarder de poches de teinture bleue les murs du Parlement, s'asseoir en grappes autour des fontaines asséchées (fraîchement repeintes), profiter de courtes nuits tièdes... Blotti dans un duvet, j'avais longtemps observé l'ombre de la baleine-ciel qui flottait sous les nuages nocturnes, luisant tout là-haut dans la lueur de la lune.

Avant de partir en consultations, madame Ha m'avait laissé des instructions pour la journée. Il fallait que je découvre quels métiers de couverture exerçaient Khalil Rubi et Nassira Mika.

L'entretien de ma patronne avec l'ineffable Rose Tey avait porté plus de fruits que le mien. L'agente très spéciale de l'Épi s'était souvenue avoir entendu Rubi dire qu'il travaillait comme barman. Elle ne savait pas du tout dans quel bar, ni en fait s'il exerçait toujours cette profession, mais ce renseignement valait toujours mieux que rien.

Histoire de me rendre compte de l'avancée des travaux de la concurrence, je téléphonai à un copain que j'avais à la Brigade Urbaine. Quant à arpenter le même terrain que les gardes, autant leur soutirer les renseignements qu'ils pouvaient avoir récoltés. Le téléphone fonctionnait-il de nouveau ? Erratiques même en temps normal, les communications se trouvaient compromises par la baleine-ciel, qui planait toujours au-dessus du Palais. Miracle : après quelques minutes à tourner la manivelle et à tapoter sur le connecteur, j'obtins l'opératrice. Bon nombre de cliquetis plus tard, je fus mis en liaison avec l'Épi.

« Brigade Urbaine j'écoute, déclara une voix mâle d'un ton bourru.

— Monsieur Manssour, s'il vous plaît, pour Ariel Doulémi, demandai-je poliment.

— Je vais voir s'il est là. »

Il était là : il se saisit du cornet téléphonique après quelques minutes d'attente.

« Que veux-tu, Ariel ?

— Basel t'a mis au courant, pour l'affaire de la jeune fille empoisonnée à la chélonite ? »

Mon interlocuteur ricana.

« Tu parles s'il m'a mis au courant ! Il apprécie modérément que Talib vous ait donné du boulot. Mais je te préviens : je ne m'en occupe pas. C'est Basel lui-même qui coordonne cette enquête.

— J'ai quand même quelques renseignements à te demander.

— Vas-y toujours.

— Sais-tu si ton patron a découvert quels étaient les boulots de la victime et de son copain ?

— Oui, Nassira Mika travaillait au Débarcadère, elle avait un poste de contrôleuse, couverture fournie par le Conseil à l'Approvisionnement. Pour Rubi, par contre, ils n'ont rien trouvé à ma connaissance.

— Alors l'enquête n'a pas encore terriblement progressé ? demandai-je avec plaisir.

— Va dire ça à Basel, il sera content. Bon, c'est tout ce que tu voulais savoir, gamin ? J'ai du boulot.

— Merci pour les tuyaux ! »

Les gardes n'en savaient donc pas beaucoup plus que nous. Parfait. J'avais du boulot, moi aussi.

Loués soient les Zantis : ils mettaient des vélos bleus à la disposition de la population, un peu partout. J'en avais trouvé un non loin de chez nous. Louée soit également la Brigade : non seulement ils n'avaient pas jugé bon de laisser quelqu'un pour garder l'appartement de Khalil Rubi, mais ils n'avaient même pas posé de scellés sur la porte. Je n'eus qu'à essayer quelques-uns des passes du trousseau que j'avais emporté avec moi. Le troisième gagna le gros lot. Je poussai la porte et pénétrai pour la seconde fois sur les lieux du crime.

Si des gardes avaient fouillé la pièce, ils l'avaient fait avec une grande discrétion : les piles de bouquins jonchant le sol ne paraissaient même pas avoir bougé. Seuls manquaient aux souvenirs de ma précédente visite le corps de la jeune fille et le verre de thé empoisonné. Le soleil frappait les volets abaissés et baignait l'appartement dans une chaleur apaisante et une douce lumière. Qui aurait cru qu'un meurtre avait été commis dans cette pièce gaie et vivante ?

Je me dirigeai vers le secrétaire, dont j'ouvris le battant. Les gardes avaient déjà dû fouiller tous ces papiers. Je ne jetai qu'un coup d'œil superficiel, persuadé de ne pas pouvoir faire mieux.

Rubi avait des velléités d'écrivain, semblait-il : une suite de cahiers scolaires était alignée sur une des étagères du secrétaire, leurs pages couvertes de pattes de mouches. J'en lus quelques passages jusqu'à être bien certain qu'il s'agissait d'aventures romancées et non de journaux intimes ou de notes de travail. Rien à en tirer, pour ce qui m'intéressait. Je refermai le secrétaire et allai m'asseoir sur le lit, le dos contre le mur.

Parcourant la pièce des yeux, je cherchai un indice sur le lieu de travail de Khalil Rubi. Mademoiselle Tey avait dit qu'il était peut-être barman...

Je me levai d'un bond et passai dans la cuisinette, en fait un évier et une plaque chauffante surmontés de quelques placards, dans un renfoncement de l'entrée.

J'ouvris le placard de gauche puis celui de droite. Bocaux, provisions diverses, boîtes de thé, vaisselle... Banco : j'avais ce que je cherchais. Une série de verres à lorizon portant en gros le nom d'un bar : « Soleil de Troie ». Les gardes n'avaient sans doute pas pensé à chercher le nom de l'employeur de Rubi sur sa vaisselle. D'ailleurs, peut-être n'était-ce pas le bon bistrot, ou seulement un ancien lieu de travail de Rubi, mais je tenais ma première piste. À l'équipe de Basel d'arpenter les entrepôts du Débarcadère, à moi de me rendre au Soleil de Troie.

Chapitre huit

La longue forme sombre du mastodonte évoluait toujours dans le ciel, planant paresseusement au-dessus de la plaine. Installés devant le bar à même le sol pavé, deux vieux centaures en lunettes de soleil, drapés dans des toges grisâtres, évoquaient les souvenirs que leur rappelait cette insolite présence céleste.

Je ne sais si j'aurais trouvé le Soleil de Troie sans son adresse. Situé en plein cœur du quartier sud-ouest, il en adoptait le profil discret. Seule indication de la présence d'un bistrot derrière le mur de pierre grise : une publicité pour une marque de lorizon. Une simple plaque émaillée vissée sur la partie inférieure de la porte de bois sombre. Pas d'enseigne, pas de tables en terrasse : habitudes trop ostentatoires pour le quartier, supposai-je. Je posai mon vélo bleu contre le mur.

Une volée de marches descendait dans la salle principale. Les lampes incrustées dans le plafond bas distillaient une lumière pâle sur les lieux. Le bar portait bien son nom : plus éloignée que Spica de son soleil, la planète Troie connaissait une lumière moins vive. Accueilli par des relents de tabac froid, je m'avançai vers la longue surface luisante du comptoir, qui occupait tout le côté gauche. Des tables hautes se bousculaient dans le reste de la pièce. Les murs de pierre nue dégageaient une fraîcheur agréable. Une musique calme coulait d'enceintes au fond de la salle, assez grandes pour servir à la sonorisation d'une salle de bal — ce qu'était sans doute Le Soleil de Troie certains soirs. Pour cette heure de la matinée, il y avait un bon nombre de consommateurs, campés autour des tables ou accoudés devant le bar.

Je repérai un tabouret, aimable concession aux non-centaures, et m'installai au comptoir. Le barman ne tarda pas à venir vers moi, un sourire poli sur les lèvres.

« Monsieur ?

— Qu'est-ce que vous avez comme lorizon ?

— Couchantin, Egelhart, Pissedroit.

— Un Couchantin, s'il vous plaît. »

Il me servit une choppe de liquide bleu vif et s'en retourna vers l'autre bout du bar, pour discuter avec un client au visage osseux qui semblait déjà passablement éméché. Le barman ne correspondait pas au signalement de Khalil Rubi. Sans doute ne fallait-il pas trop en demander. Large d'épaules, il avait les cheveux d'un noir profond et ne portait pas de moustaches. Son visage portait les marques de fatigue de quelqu'un qui n'a pas assez dormi ces derniers temps.

Appréciant la saveur poivrée et la fraîcheur du Couchantin, je restai un moment à le siroter en regardant les autres consommateurs. Un groupe de centaures d'âge moyen jouait avec des cartes de forme allongée. Fermement campés sur leurs quatre pattes, ils inclinaient le torse au-dessus de la table, un air d'intense concentration peint sur leur visage.

Le flanc reposant contre le tréteau qui sert de siège à leur race, deux autres centaures tenaient une conversation véhémente pendant que leur troisième compagnon faisait mine de lire le *Temps de Spica* — l'édition du jour.

Quelques humains fréquentaient également les lieux. Une vieille femme aux cheveux gris trop longs sirotait ce qui ne devait pas être le premier verre de sa matinée. Un couple de jeunes gens assis dans la pénombre discutait paisiblement.

J'allai soulager ma vessie dans des toilettes d'une propreté approximative, camouflées au fond de la salle par un décrochement du mur. Des graffiti à la peinture bleue décoraient les parois sales : *Se guardo il cielo non lo sfioro neppure,* déclarait l'un d'eux. *Y'a dans les rêves de l'enfance les ouragans de demain,* disait un autre. *L'indifferenza è comoda,* lus-je en ressortant des toilettes. Un des slogans zantis les plus en vogue. *Indifference is easy,* sous-titrait le bas du mur en néo-mississipien.

Revenant au comptoir, je fis signe au barman de venir me resservir. « La même chose, s'il vous plaît. »

Il s'exécuta sans un mot.

« À quelle heure Khalil commence-t-il son boulot, aujourd'hui ? » demandai-je.

Cette question fit s'assombrir le visage de mon interlocuteur, qui devint subitement prolixe.

« Ça fait deux jours que je ne l'ai pas vu, déclara-t-il d'une voix lasse. Il n'est pas venu travailler hier. Résultat : je suis obligé de me taper le service de jour en plus de celui de nuit. S'il ne vient encore pas demain, je vais être obligé de prendre quelqu'un d'autre. C'est la première fois qu'il me fait un coup pareil. Vous êtes de ses amis ?

— Pas vraiment. On devait se voir un de ces jours, c'est tout. Il m'avait dit de passer.

— Désolé, j'ignore complètement où il peut être.

— Vous ne connaissez personne qui puisse le savoir ?

— Malheureusement non. Je me serais déjà renseigné sur ce qu'il devient, sinon. »

De l'inquiétude passa sur ses traits tirés.

« J'espère qu'il n'a pas de problèmes. Ce n'est vraiment pas son genre de disparaître sans rien dire. »

J'acquiesçai d'un petit signe de la tête.

« Ha si, il y a une personne qui sait peut-être où il est, c'est sa copine, ajouta-t-il brusquement. Mais je ne sais pas où elle habite. Je ne connais que son prénom.

— Je dois la connaître : Nassira, c'est ça ?

— Oui. Désolé de ne pas pouvoir vous être plus utile... » Il eut un sourire contrit.

Le barman alla ramasser les verres qu'un groupe de buveurs venait de laisser sur une table. Je finis mon verre sans me hâter. En partant, je laissai la monnaie sur le comptoir.

Après la relative fraîcheur du Soleil de Troie la chaleur du jour me parut encore plus accablante. Les deux vieux centaures étaient toujours là, mais ils ne regardaient plus le ciel. Ils se contentaient de rester silencieux en contemplant le passage des rares piétons.

Je redressai mon vélo bleu. Je regardai l'heure à ma montre et constatai que celle du déjeuner était largement passée. Mon estomac criait d'ailleurs famine, peu satisfait de n'avoir obtenu que deux verres de lorizon pour toute nourriture. J'avais le choix entre retourner à l'intérieur du Soleil de Troie, rentrer à la maison ou chercher un restaurant en ville. Je décidai finalement d'aller casser la croûte au Débarcadère : je ne me sentais pas d'humeur à retourner chez nous, où les menus sont obligatoirement végétariens. Un peu de viande me changerait. En plus, je n'avais pas fait la vaisselle du soir précédent. Madame Ha s'en chargerait bien.

Chapitre neuf

J'arrivai sur le quai n°1, au bord du Toit, vers deux heures de l'après-midi. Comme à chaque fois que je venais au Port, un étrange mélange d'excitation et de mélancolie m'avait saisi. Le pouls fébrile de la ville battait au Débarcadère : une vie agitée, emplie du bruit des engins en train de manœuvrer sur les quais ou dans les hangars, des grincements plaintifs des grues, des cris des ouvriers déchargeant les caisses et de ceux des mouettes.

Je roulai au milieu de la chaussée, de manière à voir venir les petits engins auto-tractants qui cahotaient sur les pavés. Les masses complexes des grues vibraient sur ma gauche, énormes structures d'acier noir au sein desquelles s'agitaient les petites silhouettes des ouvriers. À droite s'élevaient les façades des entrepôts, aux poutrelles métalliques ternies, aux portes souillées de rouille et au sol maculé de taches sombres. Des hautes ouvertures s'échappaient de multiples bruits et des odeurs lourdes — huile chaude, fruits abîmés, laine humide. Quantité de denrées, énormément de biens vitaux pour la vie de Spica, venaient du Port. Acheminées des diverses agglomérations des alentours jusqu'au pied du Palais, les marchandises grimpaient ensuite le long des kilomètres de la façade, par les grues. Les passagers débarquaient aussi au Port : le téléphérique montant de la plaine avait son terminus au Débarcadère. Mon copain Madjid l'empruntait, lorsqu'il en avait assez de chasser et qu'il se souvenait de mon existence. Un événement trop rare à mon goût.

Un petit tracteur jaune sortit en vrombissant d'un hangar et vira à toute vitesse au moment où il parvenait sur moi. Il s'engouffra entre deux bâtiments crasseux. Une mouette s'envola à mon passage, protestant de sa voix criarde. Elle alla se poser plus loin, sur une caisse toilée luisante d'humidité.

Je freinai devant une petite cahute allongée aux parois de plastique fanées et ébréchées. Elle s'abritait entre l'ombre formidable d'une grue et celle plus trapue du terminus, un gros bloc de béton gris. Je connaissais bien les lieux, ses savoureux lapins-plume en croûte et ses lorizons glacés, pour y avoir déjeuné durant quinze mois, lorsque j'étais employé à surveiller le téléphérique. Je franchis avec plaisir la porte du bar. Le soleil tapant sur les plaques de plastique du toit faisait régner une chaleur accablante à l'intérieur. Un antique climatiseur tentait bruyamment de lutter contre l'étouffement. Quelques ouvriers des quais, serrés le long du comptoir, dévoraient qui une côte de garrette, qui une salade de lébaires. Le tout copieusement arrosé de verres de Pissedroit.

Le maître des lieux, Amil Ikhlasi dit Milou, me tournait le dos quand j'entrai. Il secouait en pestant les câbles d'alimentation de ses plaques de cuisson. Je me grattai la gorge ostensiblement. Milou se retourna avec une mine soupçonneuse. Ses yeux d'un vert pâle s'éclairèrent à ma vue : « Tu reviens nous voir, lâcheur ? »

Les crédits avaient manqué pour la construction de ce petit bonhomme nerveux : le sommet de son crâne arrivait à la hauteur de mes narines. Ancien ouvrier des quais, il avait trouvé plus malin de nourrir ses collègues que de continuer à se casser les reins à décharger des caisses. Debout derrière son comptoir, il me gratifia d'un large sourire amical.

« Tu vas bien, petit ?

— Très bien, et toi, les affaires sont bonnes ? répondis-je en lui serrant la main.

— Ça va, on ne peut pas se plaindre, malgré la chaleur. Les mecs ont d'autant plus soif. Qu'est-ce que tu viens faire dans le coin ? »

Je m'assis devant le comptoir.

« Profiter une fois de plus de tes divins lapins-plume en croûte ! Tu peux m'en faire ?

— C'est comme si c'était fait. »

Les pâtés en croûte de Milou ne sont pas de simples bouts de lapin-plume glissés dans un morceau de pain. Il les bourre de cochonneries délicieuses, selon une recette qu'il garde jalousement et qui fait tout leur charme.

Il ne tarda pas à poser devant moi, dans une assiette trop petite pour eux, ses deux derniers chefs-d'œuvre gustatifs.

« Un verre de lorizon ? me demanda-t-il en tendant la main vers la bouteille.

— Non, merci, j'en ai déjà bu deux, ça suffit comme ça. Donne-moi simplement un verre d'eau fraîche.

— Ces gamins, fit-il en secouant les épaules d'un geste comique, aucune résistance. »

J'arrachai une énorme bouchée à mon premier pâté.

« Dis-moi, Milou, toi qui sais toujours tout... commençai-je.

— Ça y est, des compliments d'hypocrite ! fit mon interlocuteur avec un grand sourire. Tu es sur une enquête ?

— Du moins j'essaye... Tu ne sais pas où travaille une certaine Nassira Mika, par hasard ? »

Il leva les bras au ciel.

« Pas de hasard là-dedans ! Des gardes sont déjà venus me demander la même chose ce matin.

— Et tu leur as répondu quoi ?

— Qu'elle bossait pour l'Appro, ce qu'ils savaient déjà. Elle avait un bureau dans un des entrepôts du quai F, le n° 88. Tu t'occupes de la même affaire ? Qu'est-ce qu'elle a fait, cette fille ?

— Qu'est-ce qu'on lui a fait, plutôt. On l'a empoisonnée chez son meilleur copain. »

Milou fit une grimace.

« Sale truc. Les gens deviennent fous. Je ne la connaissais pas des masses, mais elle était venue boire ici une fois ou deux.

— Tu ne te rappelles pas si elle était accompagnée d'un garçon du même âge, cheveux châtains, moustaches ?

— Vous devriez collaborer, les gardes et toi, histoire de foutre la paix aux honnêtes gens. Ils m'ont déjà posé cette question. Il était avec elle une fois. Je ne l'ai pas revu depuis. »

Ayant englouti les deux pâtés, je pris congé de Milou, non sans lui avoir promis de repasser dès que possible.

Je tombai sur Basel en me rendant au quai F. Il contempla mon vélo bleu d'un œil critique, sans masquer son irritation.

« Vous perdez votre temps, Doulémi. Nous n'avons rien trouvé là-bas. Cette Nassira Mika passait pour une très bonne contrôleuse, sans histoire.

— Chou blanc sur toute la ligne, si je comprends bien ?

— Ouais. On n'a rien trouvé non plus à son appartement. Vous avez avancé, de votre côté ? »

Je lui expliquai que, si j'avais trouvé dans quel bar travaillait Rubi, je n'en étais pas plus avancé pour autant. Basel tira une mine encore plus lugubre et déclara qu'il ne leur restait plus qu'à passer la ville entière au peigne fin. Une paille.

La journée s'acheva sans événements notables. Je pensais que madame Ha trouverait une hypothèse géniale pour débloquer l'enquête, mais non : partie dans une de ses crises de fainéantise, elle se contenta d'écouter mon rapport, assise dans son fauteuil et hochant de la tête de temps à autre. Elle fut d'accord avec moi pour penser que seule la Brigade urbaine pouvait mener une recherche de longue haleine dans toute la ville — l'affaire en resta là. J'allai faire une sieste, prévoyant de ressortir en fin de soirée. Le grelot du téléphone me tira des bras de Morphée. Au sein des grésillements et des interférences, je discernai la voix d'une copine : une réunion s'organisait sur l'amphithéâtre de l'avenue Asri Méhoudine et qu'est-ce que je fichai encore chez moi à cette heure-ci ?

La chaleur du jour jetait dans la rue une quantité incroyable de gens dès que la nuit venait. Difficile de faire la révolution lorsque le soleil menace de vous lyophiliser à la première exposition. Les heures nocturnes devenaient alors le refuge des énergies militantes, que rejoignaient sans cesse plus nombreux des membres du bon peuple de Spica.

« Zaïbé ! » appelai-je en arrivant en bas de l'avenue Méhoudine.

Je venais d'apercevoir une copine dans la foule qui s'agglutinait sur l'amphi. Jani, la fille qui m'avait appelé, se tenait à ses côtés, en grande conversation avec un échalas que je ne connaissais que de vue. Zaïbé esquissa un vague signe de la main dans ma direction et m'adressa un sourire lumineux. Elle tapota le sol à ses côtés, me faisant signe de m'asseoir.

« Et d'où débarquait-il ? Personne ne s'est jamais posé la question ! Le roi des hypnotiseurs, oui, que cet Empereur qui tenait toute une société rivée à son regard ! » beuglait un peu plus haut un homme d'une quarantaine d'années, la mine hilare. Un feu de bois illuminait de rouge et d'or les petits groupes assis çà et là sur les marches de pierre. Une saute du vent poussa vers moi une bouffée de fumée, m'obligeant à fermer les yeux. L'homme avait repris sa péroraison contre l'Empereur. Beaucoup de personnes ayant vécu sous son règne éprouvaient ainsi le besoin d'extérioriser leur mal-être, de se libérer en scandant encore et encore le mystère et l'artificialité de l'Empereur pour le vider de sens. La voix de Jani chuchota à mon oreille : « La prochaine fois, je ne pourrai pas t'appeler, patate... » Je me retournai, nez à nez avec sa frimousse grêlée de taches de rousseur. Je lui plantai un baiser léger au bout du nez. « Et pourquoi ça ? demandai-je.

— Il parait que le Central Téléphonique vient de se mettre en grève, m'annonça Jani. Tu n'as pas vu les banderoles sur la façade ?

— Pour ce que le téléphone marche en général, se marra Zaïbé à mes côtés. Avec la baleine-ciel, en plus... » ajouta-t-elle en balayant le ciel d'un geste large.

Je levai les yeux, cherchant la silhouette du colosse volant. Je finis par la distinguer, se découpant en ombre chinoise sur le fond nébuleux. Les étoiles se cachaient, la lune projetait des lueurs rougeâtres au sein des masses nuageuses.

L'orateur, qui avait glissé à notre hauteur, suivit la direction de notre regard et s'exclama : « Le ciel est notre symbole et la baleine-ciel est le signe de notre libération ! » Un long silence suivit sa déclaration. Qu'elle soit ou non d'accord avec ce mysticisme, la foule contemplait la progression du géant des airs.

« Allez, on se bouge ! » déclara subitement Zaïbé, accompagnant cet ordre d'un mouvement fluide pour se relever. Elle nous tendit les mains et nous lui tombâmes dans les bras. Derrière nous, l'homme venait d'éclater de rire, comme ivre — peut-être l'était-il, sinon d'alcool, du moins de plaisir.

Un jeune militant, torse nu, me glissa un tract dans la main. ÉLECTIONS ! proclamait le papier.

Chapitre dix

Le bleu du ciel matinal vibrait sans un nuage. Une pluie fine, tombée vers la fin de la nuit, avait considérablement rafraîchi l'atmosphère, mais le soleil allait certainement se remettre à taper avant que la journée ne soit finie.

Le robinet restait désespérément sec. La tuyauterie toussait en vain. L'ondée nocturne devait cependant avoir profité à notre réservoir d'appoint. Je grimpai sur le toit de la maison, qui formait terrasse, et m'énervai un moment contre la vanne qui me résistait. Je remplis mon seau. Deux spécialistes des services de l'Hygiène avaient fait une intervention remarquée hier soir, à l'amphi. Ils tentaient de mettre les gens en garde contre les dangers du vieillissement de l'eau. L'Hygiène s'inquiétait sérieusement des risques de fièvre typhoïde, dysenterie et autres maladies dues à l'insuffisance d'eau fraîche. Pour notre part, madame Ha et moi jouissions d'un système efficace de récupération et de purification des eaux usées. Et notre ballon pour les eaux de pluie ne donnait aucun signe de rouille. Mais la plupart des gens ne bénéficiaient pas d'un tel confort.

Je me redressai et amenai le seau près de l'échelle. Fouillant le ciel des yeux, je cherchai le mastodonte, sans le trouver. Il avait dû se décider à partir pendant la nuit. Je ne réussis à repérer qu'un minuscule nuage blanc effiloché, comme un morceau de coton qui fondit rapidement dans l'immensité bleutée dominant le monde.

Après ma toilette, je passai à la cuisine. Un peu de vaisselle sale m'attendait. Je versai une partie de l'eau dans l'évier et le reste dans le filtre. Je fis la vaisselle et bu un thé en attendant que l'eau soit purifiée. Pas un son ne venait troubler le silence matinal. À l'étage, madame Ha dormait encore. J'aurai bien aimé en faire autant, mais il me fallait me rendre aux grands bassins. Aujourd'hui, l'enquête n'avancerait guère car je devais payer mon écot à la société. Je restai un long moment à fixer la rue de l'autre côté de la vitre, le regard dans le vague, bercé par les glougloutements du purificateur. Me secouant enfin, je récupérai l'eau et allai donner à boire à la pelouse du salon. Si je ne m'en occupais pas, nous nous retrouverions rapidement avec de la terre battue sous les pieds. J'arrosai méthodiquement, en un lent va-et-vient, et insistai sur la parcelle qui s'étendait sous la porte-fenêtre. Trop de chaleur, trop de lumière, l'herbe à cet endroit prenait une teinte jaunâtre. Conçue pour pousser dans les couloirs du Palais, l'herbe d'intérieur résistait parfaitement aux pas, elle formait un tapis dru et serré, elle poussait lentement — mais elle s'accommodait mal de l'exposition avec l'extérieur.

À court de tâches annexes pour reculer l'inévitable, je me décidai à sortir. Je pris un foulard bleu, en me demandant si ce style de signes d'appartenance aux Zantis n'était pas trop gamin. Bah ! Je nouai le foulard autour de mon cou. Je grimpai jusqu'à la place de l'Épi, où j'empruntai un vélo bleu. Je zigzaguai encore un moment entre les masures en bois et les immeubles de briques, puis la route devint rectiligne. L'Épi se dressant à la limite de la ville et du Toit proprement dit, je n'avais plus à grimper, seulement à pédaler et à foncer droit devant. Il n'y avait plus que du plat. Les maisons de la banlieue nord se faisaient plus rares au fur et à mesure qu'on s'éloignait de l'Épi. En dépit de la surpopulation de Spica, les gens hésitaient encore à quitter la protection de la vieille ville. La colonisation du Toit ne progressait que timidement.

La végétation s'espaça à son tour, les plaques d'herbe pelée laissant apparaître la blancheur du revêtement du Palais. La route s'arrêtait net. Au-delà, le Toit s'étendait à perte de vue, blanc et plat. Les hautes tours de l'astroport frissonnaient au lointain dans l'air surchauffé. Personne n'allait plus jamais rendre visite aux vaisseaux spatiaux cloués au sol, reliques d'une époque révolue.

Je roulai encore un moment sur la pierre blanche puis bifurquai sur la gauche, soucieux de retrouver la végétation. L'herbe s'agrippait par mottes fragiles, puis peu à peu, le désert blanc cédait la place à une prairie sans relief. Autrefois, les bornes de régulation météorologique contrôlaient toute la surface du Toit, mais la plupart ne fonctionnaient plus. Libre de souffler où il l'entendait, le vent apportait lentement de la terre. La Disparition n'avait pas eu pour seul effet de mettre les hommes à la porte du Palais : beaucoup d'artefacts semi-vivants n'avaient pas survécu à l'Empereur.

Plus j'approchais du bord du Toit plus le sol devenait irrégulier. Bientôt, je dus mettre pied à terre et me contenter de pousser mon vélo. En nage, je m'arrêtai pour reprendre mon souffle. Le vent avait modelé des dunes qu'ancraient désormais de grandes herbes souples. Posant mon vélo contre le flanc d'une petite butte, j'allai m'asseoir à son sommet. Une senteur de sable chaud flottait dans l'air. Tout en buvant quelques gorgées d'eau à ma gourde, je contemplai le paysage. Les dunes devenaient plus nombreuses, plus hautes, le vent coulait entre elles, courait sur la végétation rase, mimant les moires d'un velours. Plus loin encore, une rangée d'arbres marquait ma destination. La rumeur des pompes vibrait dans l'atmosphère limpide. Je repris mon vélo et continuai mon chemin.

Je rejoignis le chemin tracé par l'équipe d'entretien, une simple sente sableuse qui serpentait entre les dunes. D'énormes veines palpitantes traversaient la plaine au ras de l'herbe, disparaissant vers Spica : les canalisations, semi-vivantes, elles aussi. Toujours fonctionnelles, plus ou moins. Quand une conduite se fossilisait, nous avions le choix de la remplacer par une jeune bouture, qui ne prenait pas toujours. Ou par de la tuyauterie en métal, beaucoup moins efficace.

J'atteignis enfin les arbres. Le grand bassin s'étendait de l'autre côté de la lisière. La rumeur des pompes se faisait grondement. Les unes électriques, les autres semi-vivantes, elles montaient l'eau depuis le pied du Palais. Sans elles, Spica serait morte de soif depuis longtemps. J'abandonnai mon vélo contre un peuplier et descendis au bord de l'eau. L'odeur douceâtre de la vase me sauta aux narines.

« Ariel ! » Zaïbé pataugeait dans une rigole secondaire avec d'autres travailleurs. Elle me salua de la main, puis se pencha de nouveau sur sa tâche. Je remarquai qu'un foulard bleu lui retenait les cheveux. J'enfilai mes bottes en sautant d'un pied sur l'autre et me dirigeai vers mon amie. Elle se redressa avec une grimace, se massa le dos. Du rebord de sa main droite, elle souleva la mèche qui lui tombait sur les yeux. Son grattoir dégoulinait.

« Petit veinard !

— Pourquoi donc ?

— Nour-Eddine veut te voir, des analyses à faire.

— Où est-il ?

— Aux pompes. Tu vas échapper à la corvée de grattage, mon salaud. »

Je lui tirai la langue.

Nour-Eddine était notre chef de chantier : contrairement à la majorité de la main-d'œuvre des grands bassins, il n'effectuait pas ici son travail d'intérêt général. Il occupait un emploi permanent d'hydro-technicien.

Je remontai le long des bassins de décantation. De loin en loin, des personnes agenouillées dans l'eau raclaient la vase. Celle-ci se déposait partout, menaçant d'engorger le réseau si on n'y prenait garde. Les T.I.G. (travailleurs d'intérêt général) allaient déverser leurs seaux de vase dans des carrioles, que d'autres tiraient, poussaient, jusqu'à les accrocher au train qui attendait de l'autre côté des bassins. Tirée par un camion à vapeur, la longue file de carrioles s'ébranlait périodiquement, en route vers les champs où la vase serait épandue. Petit à petit, les citoyens de Spica avaient fait naître sur la blancheur stérile du Toit des étendus de maïs, de blé ou de tournesol. Des prés, également, où broutait le bétail. Pour les légumes, en revanche, les techniques hydroponiques du Palais avaient été remises en œuvre. Des serres existaient au sein de la ville comme aux abords des pompes.

De l'herbe avait poussé entre les bassins, tirant profit de la boue déposée sur les bords par les éclaboussures et les semelles des bottes. Une suite de saignées étroites interrompant mon chemin, je les enjambai vivement, en sautant d'une margelle à une autre. Une poussière à la saveur fade s'éleva dans l'air brûlant. Accélérant le pas, j'arrivai bientôt en vue des bâtiments abritant les pompes. Le vacarme de l'eau brassée prenait une ampleur presque assourdissante.

Après la clarté du soleil frappant le blanc du Toit et brillant à la surface de l'eau, j'eus l'impression que l'intérieur de la construction était plongé dans l'obscurité. Ayant refermé derrière moi la petite porte métallique (une rareté : on ne construisait quasiment plus qu'en bois, aujourd'hui), je restai un instant immobile, le temps de laisser mes yeux s'habituer à la différence de luminosité. Le désordre familier des canalisations, des souffleries et des cuves bouillonnantes gagna peu à peu en netteté. La poussière et les gouttes d'eau brillaient dans les rayons du soleil découpés par les hautes fenêtres. Les lieux semblaient déserts. Un éclat lumineux attira mon attention, tout en haut des tuyaux géants : Nour-Eddine me faisait signe de le rejoindre. Le soleil avait accroché un reflet sur son casque. Je me dirigeai vers l'échelle la plus proche, grimpai sur une passerelle. Le bois vibrait sous mes pas, au rythme du grondement qui emplissait le bâtiment. Longeant les épaules massives des canalisations, je rejoignis une nouvelle échelle, plus étroite. Les vibrations allaient en s'accentuant à mesure que je grimpais. Nour-Eddine me tendit la main pour m'aider à prendre pied. Il me désigna une fenêtre de vérification. Un autre homme se penchait dessus, que je reconnus quand il se redressa pour me faire de la place à ses côtés : le docteur Jong. Nous échangeâmes un hochement de tête. Je me penchai sur la vitre épaisse.

Au début, je ne distinguai rien. Seulement le tumulte de l'eau qui se précipitait avec violence dans l'adducteur. Puis je m'habituai et je vis ce qui inquiétait les autres : une masse sombre bloquait partiellement la conduite, juste après le coude de montée. Comme nous contemplions l'objet, un morceau s'en détacha avec brutalité, qui vint sauter vers nous puis disparut dans les tourbillons. Nous ne pûmes pas nous empêcher d'esquisser un geste de recul, instinctif.

Nour-Eddine me regarda, la mine sombre. Un animal ? mimai-je en langage sourd-muet, le seul qui puisse convenir dans un environnement aussi bruyant. Nour-Eddine secoua la tête négativement : trop gros ! Impossible ! me dirent ses doigts. Si, lui répondis-je. Jong nous regardait faire sans intervenir. Visiblement, il ne connaissait pas le langage sourd-muet. Nour-Eddine nous fit signe de descendre.

Nous trouvâmes finalement refuge dans son bureau, une petite cahute en bois engoncée entre deux buses vrombissantes. Calfeutré au maximum, le bureau offrait un havre de silence relatif — tout au moins pouvions-nous nous y entretenir sans trop devoir élever la voix.

« Pourquoi dis-tu que ce n'est pas un tronc ? voulut immédiatement savoir Nour-Eddine.

— Quelque chose dans la manière dont un morceau de l'objet s'est détaché, répondis-je.

— Je suis d'accord avec monsieur Doulémi, intervint Jong. Il m'a semblé distinguer des chairs...

— Mais c'est trop gros pour être un animal, affirma de nouveau Nour-Eddine.

— Pas forcément, ce pourrait être une jeune Bête-qui-murmure, avança le médecin.

— Si loin du Chemin ? fit Nour-Eddine incrédule.

— Une baleine-terre ! m'exclamai-je. Ce sont des animaux souterrains, l'un d'entre eux a très bien pu tomber dans une des sources auxquelles nous pompons. »

Les deux hommes convinrent que je pouvais être dans le vrai. Nous discutâmes un moment des moyens dont nous disposions pour évacuer une telle masse — moyens qui semblaient à peu près inexistants. Il arrivait que des pierres soient aspirés jusqu'au Toit, en provoquant éventuellement quelques dégâts, mais le cas du cadavre d'un animal aussi volumineux n'avait jamais été envisagé. Ne restait plus qu'à espérer qu'il parte peu à peu en morceaux. Un autre hydro-technicien débarqua dans le bureau pour prévenir Nour-Eddine que la masse que nous avions vu se détacher bloquait une sortie. Nour-Eddine répondit qu'il arrivait tout suite.

« Je vous ai fait venir pour une analyse, Doulémi, déclara-t-il en se retournant vers moi. Nous ne savons pas depuis combien de temps cette chose est là, et nous avons peur que l'eau ne soit contaminée. »

J'avais l'habitude de ce genre de requêtes : en dépit des capacités filtrantes des canalisations semi-vivantes, des contrôles réguliers de la qualité de l'eau restaient nécessaires. Mon réseau neural demeurait le moyen le plus simple pour ce faire. Je passai une bonne partie de l'heure suivante à boire de l'eau, cracher, analyser, boire, cracher, analyser... Jong resta à mes côtés, il notait tous les résultats. Je ne relevai aucune contamination particulière. Nour-Eddine fit plusieurs allers-retours, pour finalement annoncer que nous avions raison : le morceau dégagé d'une des pompes s'avérait bien d'origine animale.

« Vous auriez dû parier, fit Jong en plaisantant.

— Pas sûr ! rétorqua Nour-Eddine. On serait bien infoutu d'identifier le bout de barbaque qu'on vient de retirer de la cuve.

— J'ai déjà mangé de la baleine-terre, » dis-je sans réfléchir.

Mes deux interlocuteurs me regardèrent avec un air surpris : en général, seuls les hommes-chats aimaient consommer cette viande-là. Je levai les mains en riant : « Ne me regardez pas comme ça ! J'ai un copain chasseur, un homme-chat, qui m'en a rapporté un bout !

— Il paraît que ça n'a pas un goût terrible, » fit Jong avec un sourire moqueur. Je fis une grimace exagérée pour convenir qu'en effet, je ne mangerais pas de la baleine-terre tous les jours. « Ça porte bien son nom : ça a vaguement un goût d'humus, un peu comme un champignon, pas terrible... Mais j'en ai gardé les références dans mon réseau neural, je peux donc identifier notre animal mystérieux ! »

Nour-Eddine nous conduisit auprès de la cuve dont on avait repêché la chose... Je regrettai aussitôt ma vantardise en voyant la masse sanguinolente, boursouflée et déchirée.

« Beurk ! Ce n'est pas appétissant, votre truc ! fis-je avec une grimace à peine exagérée, cette fois.

— Hé, on n'a pas parlé de grande cuisine, » se moqua Nour-Eddine.

Jong eut pitié de moi : il tira un couteau de sa poche et découpa un petit morceau, qu'il me tendit. Je glissai la viande froide dans l'angle de ma bouche, juste sous le bon croc. Je réveillai mon mode neural. Le réseau bleuté se mit à flotter devant mes yeux :

(menu : analyse chimique
Comparaison)

L'identification faite, je cliquai sur *(neutralisation)* puis clignai des yeux rapidement pour remettre en veille le mode neural. « C'est bien une baleine-terre, » eus-je la satisfaction d'annoncer.

Notre travail accompli, Jong et moi sortîmes de l'édifice. Le bruit baissait notablement dès que l'on émergeait à l'extérieur. J'avais la vue qui se brouillait, après toutes ces analyses, avec un vague vertige. Sans parler du sifflement dans mes oreilles. Le docteur Jong, toujours prévenant, proposa que nous allions nous asseoir. Des bambous envahissaient l'espace derrière le bâtiment des pompes. Jong nous fit suivre un sentier tracé au sein des hautes tiges bruissantes, jusqu'à ce que nous débouchions à nouveau à l'air libre. D'autres bassins s'étendaient là, où poussaient des plants verts et drus : les rizières. Nous nous assîmes dans l'herbe, à l'ombre des bambous.

« Je suis étonné de vous voir ici, docteur.

— En fait, c'est ma première assignation aux grands bassins.

— Les médecins n'ont pourtant pas besoin de faire des travaux d'intérêt général ? »

Jong esquissa une moue négative avant d'expliquer :

« C'est moi qui ai demandé. Je m'intéresse aux problèmes de l'eau. Il y a tant de choses à faire, dans cette ville... » Il me désigna en souriant la pièce de tissu bleu qu'il portait discrètement cousue au revers de sa veste. Nous restâmes un moment sans parler. Je n'avais plus de brouillard dans la vue et mes oreilles avaient cessé de bourdonner. Ce fut au tour de Jong de prendre la parole :

« Vous avez progressé, dans votre enquête ?

— Pas tellement, non. Dites-moi, que savez-vous du trafic de tortues bleues, docteur ?

— Le surveillant général ne vous a pas expliqué ? » me demanda-t-il avec une étincelle moqueuse dans les yeux.

« Pas vraiment, non, rétorquai-je en souriant.

— Hum, ce n'est pas quelque chose de très connu... Les journaux n'en ont pas encore parlé...

— J'ai l'impression que les journaux ne parlent pas de grand-chose, » fis-je sans pouvoir me retenir. Jong redevint sérieux pour acquiescer :

« C'est aussi mon avis. Quoi qu'il en soit, les tortues bleues sont des animaux indigènes, que l'on trouve surtout dans la steppe du nord. Elles ont entre autres propriétés de... rêver.

— De rêver ?

— Ce n'est pas facile à expliquer... Il semble qu'elles passent partiellement dans une autre dimension, lorsqu'elle rêvent. Si Spica n'était pas coupé du reste de l'univers, je deviendrai certainement célèbre en publiant des études sur ces animaux ! » commenta Jong avec une ironie teintée de tristesse. « Le trafic est né d'une utilisation perverse de ces facultés. Dans certains bars du quartier sud-ouest, il est possible de profiter d'une nouvelle drogue... Des tortues bleues sont apportées clandestinement du désert à cet effet. On endort les animaux et ceux-ci se mettent à rêver : la réalité se déforme dans un périmètre réduit autour d'eux, se rematérialisant plus ou moins... J'ai demandé à mener une étude scientifique du phénomène, mais je n'ai toujours pas de réponse du Parlement.

— Vous avez déjà observé ce phénomène ?

— Vous n'êtes pas le seul à avoir des amis parmi les hommes-chats, » fit Jong en guise de réponse, avec un sourire en coin. « Leurs chamans utilisent depuis longtemps les propriétés étranges des tortues bleues. J'ai également eu accès à l'un de ces animaux par la Brigade.

— Et en quoi consiste la nouvelle drogue dont vous me parliez ? »

Un instant, Jong eut l'air surpris, puis il me lança un nouveau sourire en biais : « Excusez-moi, je pensais à l'étude que je pourrais mener si l'on me le permettait, et j'en ai perdu le fil de mes explications... Bref : le client des bars clandestins s'allonge près d'une tortue bleue et se retrouve incorporé à son rêve, qu'il peut manipuler à son gré. Le corps du fumeur de rêve se brouille, fait partie intégrante de la portion d'univers troublé qui entoure la tortue... »

Le médecin se tut. Il regardait les rizières avec une expression pensive. Le grondement sourd des pompes sembla soudain emplir l'atmosphère. Nour-Eddine surgit du sentier : il fallait que j'aille à la nurserie, pour procéder à des analyses sur les boutures de canalisations.

Chapitre onze

Installé dans le jardin pour prendre mon petit déjeuner, à l'ombre des branches torses de l'arésite, j'attendais que mon thé refroidisse quand la cloche de la porte d'entrée retentit.

Je voulus avaler une gorgée avant d'aller accueillir ce visiteur matinal, mais la boisson s'avéra plus chaude que l'eau de vaisselle du Diable. Je jurai et allai ouvrir.

Pas la peine de vérifier au judas : ce second coup de cloche impérieux ne pouvait appartenir qu'à certain oiseau de mauvais augure en uniforme vert.

« Monsieur Basel, bonjour ! Toujours aussi matinal ? »

Cet homme semblait mettre un point d'honneur à offrir un visage admirablement vivant : sa gamme d'expressions s'étendait du maussade au lugubre. Son faciès revêtait ce matin la dernière tonalité.

Basel fit quelques pas dans l'entrée et s'immobilisa.

« Je n'ai pas dormi de la nuit. Je n'ai pas cessé de courir à droite et à gauche. Vous avez encore de la chance que je ne sois pas venu vous chercher en pleine nuit, » grogna-t-il. Il passa sa main droite sur sa lourde mâchoire. Il abaissa son regard sur ses grandes mains, puis le releva pour me fixer d'un air sévère.

« Khalil Rubi a été assassiné. Le conseiller Talib tenait à ce que vous soyez tenu au courant, » ajouta-t-il l'air de dire que si ça ne tenait qu'à lui, nous n'aurions rien su.

Je commençai à grimper les escaliers mais, arrivé à mi-chemin, me retournai pour demander : « Où est-ce arrivé ?

— Un temple néo-troyen, dans le quartier sud-ouest. »

À le voir de l'extérieur, personne n'aurait jamais deviné qu'il s'agissait d'un temple néo-troyen ou, plus exactement, d'une chapelle. Aucune inscription ne venait marquer le crépi rouge des murs extérieurs. La discrétion même, comme toutes les constructions des centaures.

Je n'avais jamais eu l'occasion de pénétrer dans un lieu de culte néo-troyen, mais ce que je vis dans la chapelle ne m'impressionna pas. Un autel carré, en briques, s'élevait contre le mur du fond et occupait une bonne moitié du petit temple. Une inscription gravée sur une plaque de marbre rosâtre d'un mètre de haut sur un mètre de large en décorait le devant. Quatre chaînes partant du plafond retenaient à bonne hauteur au-dessus du sol un coussin à prières de forme ronde. Accrochée au mur sur un support en fer forgé, une lampe à huile jetait de pâles reflets sur le tout.

Le docteur Jong regardait avec perplexité le corps allongé contre la plaque de marbre. Indistinct, brouillé, le visage du mort semblait avoir subi un coup d'éponge, comme un tableau pas encore sec. La peinture s'était mélangée, on ne reconnaissait plus rien. La tête du mort reposait dans une flaque de liquide bleuté, vaguement phosphorescent dans la pénombre de la chapelle. Le spectacle me laissa une impression inquiétante — comme la matérialisation d'un cauchemar. À la fois horrible et fascinant. Les cheveux avaient subi la même déformation que le faciès, il ne s'agissait plus que d'une masse indistincte de couleur châtain, qui semblait s'estomper par endroits, disparaître en une sorte de brouillard. Seuls les vêtements pouvaient encore s'identifier sans hésitation : une chemise de tissu rouge au col droit et un pantalon de toile denim noire.

Étaient présents dans la chapelle, outre le docteur Jong et le cadavre : madame Ha, le surveillant Basel, un garde que je ne connaissais pas, mademoiselle Tey, le Vénéré Æneas (un centaure de petite taille, prêtre des lieux) — et moi-même.

Jong prit madame Ha à témoin : « Avez-vous jamais vu une chose pareille ? C'est épouvantable ! »

Madame Ha s'approcha pour se pencher sur le corps.

« De quoi est-il mort ?

— Rêve de tortue bleue, » fut la réponse laconique de Basel.

La veille même, j'avais refait pour ma patronne l'exposé de Jong sur les tortues bleues. Madame Ha jeta tout de même un regard interrogateur au médecin légiste, qui expliqua : « Si jamais la personne est brutalement tirée du rêve, elle reste à demi-bloquée dedans. C'est ce qui est arrivé à ce jeune homme. »

Un silence plana un moment, le temps pour toutes les personnes présentes d'assimiler ou d'affronter de nouveau l'horreur et l'étrangeté de la chose. Mademoiselle Tey s'abstint de glousser. Madame Ha hocha lentement la tête.

« D'abord un poison rare, puis une nouvelle drogue... » Madame Ha laissa mourir sa phrase.

Elle se tourna vers le prêtre, qui n'avait pas dit un mot depuis que Basel nous avait conduit sur les lieux. Serrant sur sa poitrine les pans de sa toge blanche, Æneas fixait avec horreur le visage brouillé.

« Connaissiez-vous cet homme, Vénéré ?

— Non, je ne le pense pas. Mais ses traits sont si abominablement déformés que... » Il esquissa un geste d'impuissance, l'air toujours effaré. « Je ne peux pas être sûr. J'en doute, cependant. Mes paroissiens sont tous des centaures. » Il frappa nerveusement des sabots sur le sol.

« C'est moi qui ai identifié le corps, dit soudain mademoiselle Tey de sa voix suraiguë. C'est bien Khalil, je le reconnais, on distingue sa moustache et sa couleur de cheveux. Et puis c'est le genre de vêtements qu'il portait.

— Bon, je pense que vous en avez assez vu, intervint Basel d'un ton las. Je vous serais reconnaissant de nous laisser, s'il vous plaît. Nous avons encore du travail. »

Disant cela, il regardait madame Ha. Le sang de ma patronne ne fit qu'un tour.

« Monsieur Basel ! Êtes-vous donc si pressé d'être débarrassé de nous ? Cette affaire nous intéresse aussi, le conseiller Talib nous a chargé de nous en occuper.

— Maintenant, c'est réglé : le conseiller Talib vous a simplement demandé de faire quelques recherches pour retrouver Rubi. C'est chose faite, et sans votre aide. »

Basel se retourna vers l'entrée de la chapelle sans plus tenir compte de madame Ha et fit signe aux brancardiers qui venaient d'arriver de prendre le corps.

Madame Ha sortit des lieux le dos raide et les lèvres serrées. Voila qui promettait quelques belles journées de colère. Voyons, n'avais-je pas des choses à faire à l'extérieur ces prochains jours ?

Chapitre douze

Je décidai de passer une nouvelle nuit à divaguer dans les rues avec les Zantis. Je m'impliquai de plus en plus dans le mouvement, m'identifiai à ses idéaux de libération et de poésie.

Quand je me levai le lendemain, vers midi, je trouvai madame Ha en train d'arpenter la pelouse du salon les mains croisées dans le dos et la mine sévère. Peu soucieux de recevoir des coups de bec, je m'esquivai en affectant un air dégagé. Madame Ha sortit peu après, pour aller travailler. Il y avait longtemps déjà qu'elle ne pratiquait plus à son domicile, préférant aller visiter les malades ou donner des consultations dans les centres médicaux de la ville.

Je passai une partie de la journée à reclasser les fiches des malades. J'avais déjà repoussé l'exécution de cette tâche fastidieuse à plusieurs reprises. Fatigué par mes nombreuses nuits presque blanches, je flottais dans un état cotonneux, pas désagréable, où chacun de mes gestes me semblait ralenti.

Madame Ha eut son éclair de génie en fin de journée.

Le soleil commençait déjà à se coucher. Le temps, qui avait été orageux tout l'après-midi, se décida enfin sur la conduite à tenir : quelques gouttes d'eau commencèrent à tomber, puis ce fut une avalanche de pluie. Madame Ha, qui se tenait sur la terrasse, rentra avant d'être trempée. Elle alla s'asseoir derrière son bureau. J'enclenchai le générateur électrique et allumai quelques lampes. Je tournai le dos à la vieille dame quand elle s'exclama : « Des ombres sous la pluie, Ariel ! »

Surpris, je me retournai vers elle.

« Vous vous prenez pour Lord Summer, madame ?

— Bon sang, ça nous crevait les yeux et nous n'y avons pas pensé tout de suite ! Je suis certaine d'avoir raison ! »

Madame Ha tendit la main vers le téléphone. Je la regardai s'exciter contre l'appareil muet, curieux de connaître le fond de sa pensée. Madame Ha raccrocha, excédée.

« Il n'y a plus personne pour répondre, se plaignit-elle.

— Le Central est en grève, » lui rappelai-je.

Elle écarta cette objection d'un froncement de sourcils.

« Il faut que nous nous rendions à la Brigade, » déclara-t-elle.

Par l'un de ces sauts intuitifs qui l'avait rendue célèbre, l'ostéopathe-détective venait de trouver de quoi river son clou au surveillant général.

À la tête d'une troupe de cinq hommes, Basel nous accompagna en pleine nuit d'orage près de l'ambassade de New-Mississipi. Il avait une allure assez ridicule, serré dans un imperméable trop petit pour lui, mais il faut dire à sa décharge que nous ne devions pas avoir l'air beaucoup plus malin, dégoulinants sous la pluie battante. L'averse provoquait un vacarme assourdissant, Basel dut élever la voix pour se faire entendre.

« Madame, j'espère que vous savez ce que vous faites ! gronda-t-il. Si jamais vous nous avez fait déplacer pour rien... » laissa-t-il planer d'un air menaçant, que contrebalançait comiquement ses cheveux qui lui gouttaient dans les yeux.

« Ne vous inquiétez pas, monsieur, je ne vous ai pas demandé de venir avec vos hommes sur un simple caprice, lui rétorqua madame Ha d'un air supérieur. Avez-vous agi comme je vous l'ai demandé ?

— Cinq autres hommes sont répartis autour du bâtiment.

— Alors allons-y. »

Nous suivîmes la vieille dame à travers l'écran de pluie vers la haute tour indistincte de l'ambassade. L'orage grondait de manière intermittente dans le ciel totalement obscur. Nous contournâmes le bâtiment par le côté ouest puis madame Ha nous fit brutalement arrêter. Nous intimant le silence d'un geste, elle écouta les bruits de la nuit. Un véhicule à moteur ronflait sourdement non loin de nous, vers la droite. Nous saisîmes quelques bribes de paroles, sans en comprendre le sens.

« C'est bien ça, » chuchota madame Ha en se retournant vers Basel. Celui-ci hocha silencieusement de la tête. L'air sombre, il indiqua à ses hommes d'avancer en se déployant. Plusieurs d'entre eux sortirent des pistolets ou des feux-de-poing de leur vareuse.

« Allez-y ! » beugla soudain Basel.

L'endroit d'où provenaient les bruits de moteur et de voix fut brusquement illuminé par les gardes urbains, dispersés tout autour.

Devant nous, dans la violente lumière jaune des feux-de-poing, demeuraient figées trois silhouettes humaines, comme prises dans le filet lumineux de la pluie. On distinguait également un camion électrique, comme on en utilisait sur les quais. L'un des hommes lâcha la caisse qu'il portait et fit mine de tirer un couteau de sa ceinture. Un coup de feu claqua. L'homme se plia en deux et resta là, à gémir sous la pluie. Des lumières commencèrent à s'allumer dans la tour de l'ambassade, nous révélant une porte de garage grande ouverte dans sa façade.

« Rendez-vous, vous êtes cernés ! Brigade urbaine ! » cria encore Basel, qui n'avait pas besoin de porte-voix pour se faire entendre des malfaiteurs.

Les deux hommes encore debout levèrent les bras en signe de reddition et un troisième descendit de la cabine du camion, bras levés également. Nous nous approchâmes d'eux.

« Bonsoir, Lord Zither, » fit madame Ha d'une voix joyeuse en reconnaissant le secrétaire.

Blême et trempé, Oak-Lowarch affichait une bien plus mauvaise mine que la première fois que nous l'avions vu, dans l'antichambre de Lord Summer Cedar-Longbow.

« Je pensais bien vous trouver ici, continua ma patronne.

— Comment avez-vous su ? grinça Lord Zither, furibond.

— Oh, j'ai mes sources... »

Lord Zither cracha au visage de la vieille dame, qui recula à temps. Des gardes encadrèrent l'homme et l'entraînèrent plus loin.

« Des ombres sous la pluie et des lueurs bleues, n'est-ce pas ? Son Excellence ne délirait pas, finalement, » commenta simplement madame Ha.

Éventrée sous le choc, la caisse qu'avait laissé tomber le blessé laissait échapper quelques tortues. Groggy, les animaux essayaient maladroitement de sortir. Leurs carapaces luisaient faiblement dans la lumière des projecteurs, jetant des lueurs bleues sur les flaques d'eau. La phosphorescence émanant des caisses encore fermées formait comme un grillage bleuté dans la nuit froide.

Chapitre treize

Le disque tourne.

Déjà connue, cette allée. Poussière sur les candélabres. À noter : comment... Mer acide... *comment la poussière peut-elle pénétrer dans les lieux.*

Long couloir sombre, le plafond culmine à deux ou trois mètres du parquet à chevrons. Une frise de pierre compliquée décore le sommet des murs.

Une araignée s'enfuit, elle sent notre présence, surgit brusquement d'une fissure près de cette haute armoire à trois portes, sa forme noire court... elle alla donc s'asseoir ?... *L'araignée disparaît dans une autre crevasse de la pierre, au-dessus d'un passage voûté.*

Le disque tourne.

Sol de béton lisse. Un panneau de pierre encastré dans le mur de gauche à hauteur d'homme, couvert d'indications topographiques gravées : salle du capricorne, centre Gaë 8 me., corridor Ed Jab, n°s 123 à 288, salle des examens, centre Egré 14 me., centre Ephèse 7 me.

...scintillements...

Les recherches s'orientent vers les murs extérieurs : comment la poussière rentre-t-elle, regarder les fe —... fleurs de chair ensanglantée qui conviennent à la guérison... *les fenêtres, les portes de balcons.*

D'après-les-plans-il-faut

D'après les plans, il faut suivre ce couloir en dépassant trois portes... j'y jouais quand/STOP/*le déplacement est facile dans cette partie. Ensuite, un hall de rencontre, trois escaliers, les dépasser, prendre la porte... la porte à droite.*

Le disque tourne.

Porte à droite. Davantage d'obscurité. Les frises en haut des murs ont changé de style. Plancher encore. Sur le mur de droite, régulièrement espacées, des lanternes, éteintes.

Un banc écroulé, dans un renfoncement. La silhouette pathétique d'un arbre desséché le surplombe. Un journal, non, un magazine est ouvert à quelques pas des planches éventrées du banc.

Des toiles d'araignées festonnent le plafond. Certaines semblent récentes. Il y a donc encore de la vie.... pas moyen de passer... *La porte à droite, puis encore un couloir, très large cette fois. Une rangée de grands arbres, morts. Sol de terre battue, trottoirs de briques sombres.*

Une avenue du dernier niveau. Les magasins sont tous fermés, leurs façades éteintes, comme le reste. Les vitrines sont obscures, pas moyen de distinguer l'intérieur. Alimentation, Hacène, Maroquinerie,... tortues bleues. Prochaine livraison... *Bifurcation vers la gauche, oui, vers la façade.*

Une fontaine. Qui coule tranquillement dans la pénombre du bout de l'avenue.

Sur le plan :... prévenir... ¿/**tortues bleues ?**/ *Sur le plan : grande rotonde, les hautes fenêtres donnent sur des balcons*/**qui pense tortues bleues ?**/

Chapitre quatorze

Nous reçûmes la visite du conseiller Talib la journée même où il eut le tort de se placer sur la trajectoire d'une balle.

Trois jours plus tôt, Lord Zither Oak-Lowarch et ses complices avaient été arrêtés pour trafic de tortues bleues. Ils se retrouvaient également accusés des meurtres de Nassira Mika et Khalil Rubi. Les deux agents de la Sécurité avaient dû découvrir le pot-aux-roses, ce qui leur avait été fatal. Profitant de la proximité de l'ambassade néo-mississipienne avec le Port, ainsi que de la maladie de son supérieur hiérarchique, le secrétaire particulier de Lord Summer Cedar-Longbow avait monté une affaire d'importation illégale de tortues bleues. La Brigade essayait de mettre la main sur les complices de Lord Zither en bas du Palais, ceux qui chargeaient les colis. Des complicités existaient forcément aussi au sein du Port.

À l'ambassade de New Mississipi, Lord Summer nous avait reçu en grande pompe. Accompagné par un docteur Stout tout frétillant, il nous présenta un jeune homme sérieux et sympathique : Lord Basil Alder-Longbridge, son nouveau secrétaire particulier.

La sagacité de ma patronne avait occupé les gros titres du *Temps de Spica* — juste avant que ce journal cesse de paraître, paralysé par la désertion de la plupart de ses employés, ralliés au camp des Zantis. Alors que nous mettions un frein au trafic de tortues bleues, les révolutionnaires de la même couleur faisaient la fête aux quatre coins de la ville.

Madame Ha s'estimait satisfaite d'elle-même. Un sentiment coutumier chez elle, mais cette fois légitime. Par conséquent, elle avait passé les trois derniers jours à faire la grasse matinée et à lire dans son fauteuil préféré. Lorsque je l'interrogeai sur le saut intuitif qui lui avait permis de débrouiller l'énigme, madame Ha ne m'octroya qu'un « pfut » insouciant.

Je lui demandai encore si elle n'avait pas été un peu vite en besogne, prenant le risque de se ridiculiser devant Basel en agissant sur une intuition. Elle se replongea dans son bouquin sans me répondre, mais de fines rides aux coins de ses yeux trahissaient son amusement.

Pour ma part, je m'absorbai dans le tourbillon du mouvement zanti. Je rentrais rarement, et seulement pour m'écrouler sur mon lit.

Aussi, quand je dis que nous reçûmes de la visite, je devrais plutôt préciser : madame Ha reçut de la visite.

Je n'aurais pas dû être au courant, mais c'est plus fort que moi : je cède facilement à la curiosité. Ce midi-là, je commençais à manger lorsque madame Ha s'encadra dans la porte de la cuisine, habillée de pied en cap. Elle me lança un « bonjour » aimable. Cela suffit à éveiller mes soupçons : madame Ha fait rarement preuve de tant d'aménité au saut du lit. Elle disparut en direction du salon. Abandonnant le porridge auquel je consacrais jusqu'à ce moment l'essentiel de mes efforts matinaux, je me levai, contournai la table et, me penchant à la porte, jetai discrètement un œil dans l'autre pièce. Madame Ha me tournait le dos, penchée sur un tiroir ouvert de son bureau, dans lequel elle farfouillait. Jugeant pour l'instant inutile de me fatiguer les neurones sur les raisons d'une telle fébrilité, je retournai à mon repas.

Madame Ha ne tarda pas à revenir dans la cuisine et commença à préparer son petit déjeuner, sans dire un mot. Voilà qui semblait déjà plus conforme à la tradition. Ce n'est qu'au bout d'un bon quart d'heure qu'elle leva le nez de son assiette de fruits en tranches pour m'adresser la parole.

« Ariel, puisque tu as fini de manger, j'aimerais que tu ailles au Débarcadère récupérer la caisse de papier qui est arrivée l'autre jour, s'il te plaît. On leur avait promis d'aller la prendre rapidement. »

Manœuvre transparente : il s'agissait de m'éloigner de la maison. La caisse en question, arrivée d'un village de la Baie seulement deux jours auparavant, pouvait très bien attendre au Port une semaine ou deux avant que nous ayons besoin de son contenu. De là à penser que madame Ha devait recevoir quelqu'un, il n'y avait qu'un pas à franchir. La question était donc : pourquoi ne voulait-elle pas que je sois au courant ? Ma curiosité et mon amour-propre m'empêchaient de supporter telle situation.

J'avais déjà travaillé à droite et à gauche, avant d'entrer au service du docteur Ha. Je trouvais au hasard des relations et des petites annonces des boulots qui ne duraient pas. J'avais été serveur dans un bar chic de la place Zalamenski. J'avais soigné un été durant les piliers de contrôle météorologique, que le lichen menaçait. Ma relation avec un collègue, Madjid, m'avait conduit à entreprendre les rituels d'initiation des hommes-chats. Par la suite, j'avais servi de secrétaire à un botaniste — un emploi que je n'avais finalement occupé qu'un peu moins de trois mois, le vieil obsédé s'avérant plus intéressé par mes fesses que par mes dons de guérisseur récemment acquis. J'avais enfin occupé un poste de surveillance du téléphérique, durant plus d'un an. Le problème, en fait, c'est que je n'étais pas qualifié pour un travail exigeant une grande force physique... et que mes études avaient pris fin plusieurs mois avant l'examen de sortie. Quant à mes références... eh bien, lorsqu'un employeur éventuel se rend compte que vous êtes encore presque un gosse, et que vos seules compétences tiennent à votre don de vampirisme, il y a de bonnes chances pour que l'entretien s'achève sur un « laissez-nous vos coordonnées, on vous rappellera ». Pourtant, ce sont bien le vampirisme et les capacités médicales s'y rattachant qui m'amenèrent au service de madame Ha.

Dans mon dernier emploi, je m'ennuyais à mourir. Enfermé toute la journée dans un bureau vitré, à surveiller les rares cadrans de contrôle du téléphérique : passionnant. Avec pour seule distraction les têtes de grues qui montent et descendent, et les dockers qui s'affairent. Ou bien encore la contemplation de la vaste plaine en contrebas du Palais, en essayant d'imaginer la mer, par jour de beau temps, et ce que Madjid pouvait bien faire à ce moment, lorsque ce salaud se livrait à l'une de ses campagnes de chasse. Pas exactement l'idée que je me faisais de la manière idéale de gâcher mon dix-septième printemps. L'opportunité du siècle se nichait dans les petites annonces du *Temps de Spica* :

Cherche vampire débrouillard/intelligent pour assister médecin/détective. Bon salaire, horaires irréguliers, travail pouvant être dangereux. Complète disponibilité exigée.

Vampire débrouillard et intelligent : tout moi, ça (modeste, aussi). Et puis, on est curieux ou on ne l'est pas — l'annonce chatouillait méchamment en moi ce défaut dont les néo-mississipiens prétendent qu'il tue les chats.

Je passai au journal, quelques questions me furent posées. On me donna une adresse dans le haut de la ville. Basse, façade blanche, petites fenêtres carrées, double génoise frisant sous la toiture : une demeure typiquement vanbootienne. La porte s'ouvrit sur une petite vieille fripée en robe de chambre froissée : le docteur Ha, médecin ostéopathe et détective privé. Cheveux blancs formant comme une auréole sur sa tête, visage impénétrable d'asiatique, silhouette sèche et droite. Elle cherchait un associé. Assez jeune pour crapahuter lors des enquêtes, doué de vampirisme pour les analyses chimiques.

Deux ans après cet entretien, je travaillais toujours pour elle, et avais même emménagé sous son toit. La niche écologique du secrétaire/homme à tout faire/petit con agaçant/enquêteur/laboratoire ambulant... me convenait à merveille.

Et durant ces deux années, madame Ha ne m'avait jamais interdit d'être présent lors d'un rendez-vous.

Madame Ha leva à peine les yeux du bol fumant qu'elle venait d'entamer lorsque je lui demandai si elle attendait quelqu'un. Elle n'émit qu'un « pfut ! » désinvolte. Puis, comme je me levai pour me camper à ses côtés, elle se décida à me regarder, l'air brusquement de méchante humeur.

« Ariel, j'ai mal dormi, je me suis levée trop tôt, je n'attends personne, et tes soupçons sont ridicules.

— Vous n'avez aucun dossier en vue, vous n'attendez aucun visiteur que vous préféreriez me faire éviter ?

— Ariel..., proféra madame Ha, passant de la rogne à la lassitude, je ne traite pas d'affaires sans toi. Va chercher cette caisse de papier. »

Que pouvais-je répondre, confronté à tant de mauvaise foi ? Je lui présentai mon dos et allai chercher le chariot. Décrochant ma veste (bleue, bien sûr) en passant, je sortis de la maison.

Un ciel blanc succédait à la chaleur des jours précédents. Le vent du sud apportait une senteur de pluie. Une légère brume flottait, indécise, sur les toits les plus hauts. L'humidité poissait le sol et faisait naître des reflets huileux sur les feuilles des buissons. Je restai un instant sur les marches du perron, emplissant mes poumons de la fraîcheur parfumée de l'air, puis descendis la rue sur la droite. Je tournai à gauche au bout de l'espalier mais, au lieu de continuer à descendre tout droit en direction du Débarcadère, je bifurquai immédiatement sur ma gauche, dans un petit passage entre les clôtures de brique jaune des jardins. Je posai le chariot contre un mur.

Assis dans l'encoignure d'une porte basse, presque en face de la façade de notre maison, je vis arriver d'un pas souple et rapide le mystérieux visiteur matinal de madame Ha : le conseiller Talib. Emmitouflé dans un imperméable, il portait un chapeau, mais je l'identifiai sans hésitation.

Le puissant homme-chat sonna brièvement à la porte, qui s'ouvrit presque aussitôt. Il entra dans la maison en baissant un peu la tête pour passer l'entrée. La porte se referma, je restai un petit moment dans mon coin, à m'interroger en vain sur les motivations de madame Ha et de monsieur Talib. De quoi pouvaient-ils vouloir s'entretenir dans le plus grand secret ? Je ne traite pas d'affaires sans toi, avait dit madame Ha. S'agissait-il de politique, alors ?

Renonçant provisoirement à y voir plus clair, je me décidai à partir. Je relevai le chariot et repris le passage en sens inverse, pour aller chercher cette fameuse caisse.

Un crochet par la gargote de Milou me permit de me changer les idées et, lorsque je revins à la maison deux heures après, madame Ha n'avait plus de compagnie. Je ne fis aucun commentaire, non plus que la vieille dame qui, l'air tranquille, lisait assise dans son fauteuil favori, près de la baie vitrée du salon. La brume s'était dissipée et l'air radouci, mais le ciel demeurait couvert, uniformément blanc.

Je ressortis. En ville, le climat tournait résolument à la politique : tous les grévistes se réunissaient aux coins des rues et sur les places, des slogans fusaient, la Brigade urbaine circulait nerveusement entre les groupes, sans oser intervenir dans une situation qui la dépassait. ÉLECTIONS ! réclamaient tous les graffiti, bavures bleues sur les murs blancs. Juché sur un charrette, en plein centre de la place Zalamenski, un homme haranguait la foule : «... sans légitimité ! La clique parlementaire est issue des années de l'Empereur, elle doit céder la place à une véritable démocratie, issue des urnes ! » Au pied de son véhicule, un petit groupe d'individus maquillés en bleu des pieds à la tête, habillés seulement de la peinture les recouvrant, se livrait à une pantomime. Qui agenouillé en adoration, qui ployé en une génuflexion servile, ils rendaient hommage à un autre de leurs complices, drapé celui-là dans une immense cape bleue. « Dieu est mort, vive l'homme ! » gueula l'orateur, et son cri fut repris par la foule. « Dieu est mort, vive l'homme ! » me surpris-je moi-même à reprendre à pleins poumons. À la terrasse d'un café, un homme se mit à jouer de l'accordéon. Je vis passer Jani, accrochée aux bras d'un beau mec dans une valse échevelée. Les pieds légers, je me mis à danser à mon tour, un garçon me prit le bras, nous valsâmes ensemble un moment. Le tourbillon nous relâcha sur le bord d'une terrasse, hors d'haleine, nous échouâmes sur les chaises en désordre d'un bar. Un narghilé circulait, je tirai quelques bouffées âcres puis passai l'embout à mon partenaire. Une mèche brune descendait en accroche-cœur sur sa joue. Ses yeux verts, rieurs, se fixèrent un instant aux miens et je me penchai vers lui. Nos lèvres asséchées par l'arésite se cherchèrent, se trouvèrent.

Chapitre quinze

« Bonjour, jeune homme. Puis-je parler au docteur Ha s'il vous plaît ? Je suis le conseiller Ascanius.
— Oui, monsieur le conseiller, j'avais reconnu votre voix. Je vais la prévenir. »

Le téléphone sonna en début d'après-midi. À 1 h 45, pour être précis. Madame Ha haussa un sourcil surpris et prit tranquillement le cornet que je lui passais, posant son livre sur son genou droit, l'index en guise de marque-page.

Le bouquin tomba sur la pelouse du salon lorsque madame Ha leva brusquement sa main pour la porter à sa tempe dans un geste de surprise peinée. Durant son bref échange avec le conseiller Ascanius, elle n'émit que quelques grognements affirmatifs et un « nous arrivons » final. Mais sur son visage passa une grande variété d'expressions, des nuances allant de la colère à la peine profonde. D'un geste las, elle me rendit le cornet téléphonique afin que je le raccroche sur son support mural.

« On vient de découvrir le conseiller Talib, mort, dans son bureau. »

Ce fut tout ce qu'elle me dit mais ces mots éveillèrent dans ses yeux une colère noire et elle se leva vivement. Avant de la suivre au-dehors, je me baissai pour ramasser le roman, dont quelques pages s'étaient froissées, et le posai sur l'accoudoir du fauteuil.

Le mot « mort » manquait de précision. « Assassiné » aurait donné une meilleure idée du drame, puisque c'est d'une balle dans le dos qu'on avait mis fin aux jours du conseiller Talib.

Il n'existe dans tout Spica que fort peu d'armes à feu de petite taille. En fait, les pistolets des gardes urbains doivent être les seules. On avait pourtant fait usage d'une telle arme : elle n'avait pas quitté les lieux du crime. Jetée sur l'épais tapis, devant le bureau du conseiller Talib.

Déclarer que Talib était mort dans son bureau s'avérait également fort imprécis : son corps gisait à moitié sur le sol de la pièce et à moitié... dans le vide. *Sur* le vide serait une description plus juste. Le cadavre bloquait un des panneaux de la bibliothèque, porte camouflée qui donnait accès à une autre pièce, dont la majeure partie du sol formait un grand vide, révélant les profondeurs obscures du Palais.

Comme tout un chacun à Spica, je savais que de nombreux efforts avaient été consentis pour réinvestir le Palais. Plusieurs d'entre eux ayant même fait les gros titres du journal. J'avais entendu dire qu'à quelques rares occasions ces tentatives avaient réussi à briser la pierre — pour échouer sur un écran invisible. Pour autant, l'occasion ne m'avait jamais été accordée auparavant de voir de mes propres yeux une de ces fameuses *brèches*.

Le site particulier de Spica, en haut du Palais, semblait en faire l'endroit idéal pour tenter de percer les défenses de l'édifice. Pourtant, rien n'y faisait : les rayons les plus puissants, les chaleurs les plus intenses, les merveilles technologiques les plus avancées, chaque essai de percement buttait sur un champ de force aussi invisible qu'impénétrable. Des sectes récentes prétendaient interpréter la Disparition comme une nouvelle éviction de l'Éden. Leurs prières s'avéraient aussi vaines que les coups de pioche. Quant à savoir qui avait mordu dans quelle pomme...

Tout cela faisait partie du bagage et du traumatisme culturel de chaque citoyen de Spica. Âgé de seulement trois ans lors de la Disparition, j'appartenais à la population la moins touchée par ce choc.

Le sang de Talib formait une petite flaque arrondie, accrochant des reflets rougeâtres au-dessus des ténèbres. Il me sembla distinguer un couloir, très loin en bas, et une porte — une ouverture dans une paroi. J'eus des difficultés à détacher mon regard des profondeurs.

Le silence s'imposa lorsque madame Ha et moi-même entrâmes dans le bureau du défunt. Pendant qu'avec lenteur ma patronne s'approchait du corps de son ami et se penchait sur lui, les diverses personnes présentes s'agitèrent avec gêne, marmonnant entre elles ou fixant le cadavre. Il y avait là les principaux conseillers du Parlement : Titus Ascanius, bien entendu, le conseiller à la Justice (un imposant centaure en toge sombre), Mohad Ladame, conseiller aux Affaires Sociales (cheveux blancs), Foued El-Djid, conseiller aux Approvisionnements (visage carré), et Tofic Zéhar, conseiller aux Finances (gros et rose). Mon copain Manssour se tenait également près de la bibliothèque, en compagnie d'un autre garde urbain et du docteur Jong. Ce dernier, percevant mon regard, m'envoya son habituel sourire en coin. Manssour me salua d'un discret mouvement de la tête.

Madame Ha se releva enfin, le visage pâle. Ses yeux brillaient d'une lueur étrange.

« Quelqu'un a-t-il touché au pistolet depuis que le corps a été découvert ? demanda-t-elle à la cantonade.

— Non, docteur, personne, répondit aussitôt Manssour en avançant d'un pas. C'est moi qui ai découvert le conseiller Talib, et j'ai fait en sorte que rien ne soit déplacé.

— Merci, monsieur, dit madame Ha. Je suppose que vous avez déjà fait relever les empreintes ?

— Une seconde ! fit brusquement le conseiller Ladame. De quel droit donnez-vous des ordres à un garde ? Où est donc le surveillant Basel ? C'est à lui de diriger les opérations et non à vous, madame. Je regrette d'ailleurs que vous ayez été appelée, la plus grande discrétion doit être observée dans cette affaire. »

Ascanius l'interrompit d'un ton outré.

« Ladame ! C'est moi-même qui ai téléphoné au docteur Ha. Monsieur Basel n'est pas en ville aujourd'hui.

— Dans ce cas, il fallait intervenir nous-mêmes, rétorqua Ladame.

— Vous savez aussi bien que moi que nous n'avons pas les compétences nécessaires pour un événement aussi grave. De plus, le docteur Ha et monsieur Doulémi ont souvent travaillé en liaison avec le Surveillant Général, pour le conseiller Talib. »

Madame Ha, qui avait suivi l'échange avec un visage fermé, déclara en regardant Ladame :

« Si vous tenez absolument à parler de droit et de préséance, sachez que le plus haut responsable de la Sécurité après Talib et Basel est monsieur Manssour, ici présent, chef des gardes urbains.

— Et je m'en remets à votre direction, docteur Ha, dit Manssour, son long visage rougissant nettement. J'ai fait prévenir les spécialistes de l'analyse, ils ne vont pas tarder.

— Docteur Jong, pouvez-vous vous occuper du corps ? Merci. D'autres objections ? » demanda madame Ha en regardant les quatre conseillers. Ceux-ci hochèrent négativement la tête, Ladame visiblement renfrogné.

« Vous serez gentils de bien vouloir vous rendre en début de soirée chez moi, vers dix-neuf heures, afin de discuter de tout cela, » ajouta madame Ha en englobant d'un geste le bureau, le corps, la bibliothèque et la mystérieuse brèche. « En attendant, je prends note de la demande de monsieur Ladame : restons discrets.

— Le bruit de cet assassinat ne doit pas circuler en ville, la population pourrait s'affoler, approuva Ascanius.

— Il y a bien assez de tous ces jeunes imbéciles qui foutent le bordel, » marmonna Ladame. Personne ne releva.

Dès que la porte fut retombée derrière le dernier de ces messieurs, apparemment domptés, madame Ha se pencha de nouveau sur le corps. Étendu à quelques pas du coin droit de l'imposant bureau de bois rouge, il bloquait en biais la porte dérobée, dont le battant s'ouvrait vers l'extérieur. La tête de la victime reposait sur le sol invisible de la brèche. Le bras gauche s'étendait le long du corps. Le bras droit était à demi-replié, en levier, comme si Talib avait tenté de se relever. Un trou de dimension modeste mais suffisante se voyait dans le dos, sous l'omoplate gauche. Dernier détail : Talib ne portait pas les mêmes vêtements que lors de sa visite matinale. Il n'avait qu'un pantalon bouffant blanc, sans chemise. L'impact de la balle n'avait même pas souillé la fourrure brune de son dos.

Les volets de l'unique fenêtre de la pièce étaient poussés, ce qui expliquait la pénombre. Un épais tapis rouge et brun sombre, orné sur les bords de motifs géométriques très simples, couvrait le sol. J'examinai brièvement le dessus du bureau, couvert de dossiers et de papiers. Le désordre paraissait naturel, provoqué par les habitudes de la victime plutôt que par la hâte d'un assassin. La lampe, au lourd pied arrondi de métal noir surmonté d'une ampoule-cloche, était encore allumée.

En bon détective, j'avais presque toujours des gants sur moi. Je les enfilai avant d'ouvrir successivement les différents tiroirs. Au premier coup d'œil, ils ne recelaient rien de surprenant : encore des classeurs, encore des papiers, un agenda recouvert de cuir noir, quelques stylos, deux enveloppes métalliques vides. Désireux d'avoir plus de lumière, j'allai ouvrir les volets de la fenêtre.

« Ariel, s'il te plaît. »

Je me retournai et m'approchai du corps. Madame Ha et le docteur Jong se relevèrent. Madame Ha n'eut pas besoin d'en dire plus : à son regard, je compris qu'avait sonné le moment de la corvée.

Madame Ha et le docteur Jong ayant retourné le corps, son visage faisait maintenant face au plafond bas. Je m'agenouillai près du mort, lui inclinai la tête, de manière à ce que le cou soit bien dégagé, puis me penchai. Mes crocs accédèrent sans difficulté à la jugulaire, dont j'aspirai le sang. Une sensation de « déjà-goûté » s'infiltra dans ma gorge. Inutile de m'attarder sur une évidence. Je me relevai en grimaçant, histoire de souligner le dégoût que m'inspirait cet exercice. Mon mode neural *(menu : analyse chimique)* afficha des données, qui se mirent à flotter dans l'air devant moi.

« Je connais ce goût. Il est proche de celui que j'avais relevé dans le sang de Nassira Mika, l'autre jour. C'est de la chélonite, mais en concentration curieuse. Pas suffisamment pour provoquer un empoisonnement mortel, je pense. »

Madame Ha eut l'air intrigué mais ne fit pas de commentaire quant au résultat de cette analyse sommaire. Elle se tourna vers la pièce obscure.

« N'y a-t-il pas de moyen d'éclairage, là-dedans ?

— Une minute, madame, je reviens avec une lampe, » répondit Manssour. Il en profita pour prendre le pistolet sur le sol, dans un tissu sorti de sa poche, avant de quitter le bureau.

Il rapporta un feu-de-poing comme les gardes en utilisent lors de leurs tournées nocturnes. Madame Ha s'en saisit sans un remerciement et, l'allumant, le braqua dans l'embrasure de la porte dérobée. Elle révéla une pièce circulaire, aussi grande semblait-il que celle où nous nous tenions. Une table ronde trônait en son milieu, entourée de cinq chaises droites à accoudoirs.

« Docteur Jong, je pense qu'il va d'abord falloir évacuer le corps, si nous voulons pénétrer dans cette pièce sans problème, dit madame Ha en se retournant vers le médecin légiste.

— Bien sûr. Nous allons nous en occuper.

— J'ai déjà demandé des brancardiers, » ajouta Manssour.

L'autre garde alla ouvrir la porte du bureau et les brancardiers annoncés ne tardèrent pas à entrer. Le docteur Jong partit en même temps que le corps. Manssour et l'autre garde, qui était demeuré stoïque et silencieux tout le temps, se retirèrent également. Manssour voulait tenter de contacter le surveillant Basel, en voyage à Swaraj, un village au pied du Palais. La Brigade urbaine commençait à manquer de personnel, avec le nombre de gens qui rejoignaient jour après jour les fêtes des Zantis.

Dès que nous fûmes seuls, madame Ha braqua à nouveau son feu-de-poing dans la seconde pièce. Elle balaya les murs nus et la table au dessus brillant. Le pinceau lumineux tomba finalement sur le sol. Inexistant. Ou du moins la pierre du Palais avait-elle entièrement été retirée, ne laissant qu'un plancher invisible. Je hasardai un pied dans le vide, évitant la flaque de sang, rencontrai une surface dure et plane. Je risquai encore quelques pas, pour me retrouver comme suspendu en l'air dans l'entrée de la pièce ronde. Une impression très désagréable. Madame Ha me bouscula un peu pour passer, et, ne semblant pas se soucier du plancher inhabituel, alla inspecter la surface de la table. Elle leva ensuite les yeux au plafond et le faisceau de sa lampe accrocha des reflets sur une plaque circulaire fixée à l'emplacement habituel d'un lustre. Outre la table, les chaises et la petite plaque au plafond, la chambre ronde contenait encore une autre pièce de mobilier. Une étagère étroite, en métal noir, fixée au mur près de la porte. Deux bouteilles anodines et une série de verres étaient posées dessus. J'attrapai une des bouteilles avec un mouchoir tiré de ma poche et, l'ouvrant, en reniflai le contenu. J'essayai aussi l'autre. L'odeur âcre n'était pas moins édifiante que la saveur du sang. Je l'aurai identifiée sans même l'aide de mon mode neural. Le réseau d'un bleu tremblotant de ce dernier ne me laissait cependant aucun doute quant à l'identité du liquide. Madame Ha, peu encline à la conversation pour l'instant, m'interrogea du regard.

« Encore de la chélonite, en concentration restant à définir. J'en emporte une, je suppose ? »

Madame Ha quitta la pièce avec un grognement affirmatif.

Chapitre seize

De retour chez nous, installée dans son fauteuil les sourcils froncés, les traits crispés de colère, madame Ha se mit à broyer du noir. La mort de Talib lui portait un rude coup. J'ignorai jusqu'à quel point ils étaient amis, mais nous avions souvent travaillé pour le conseiller.

Assis en équilibre instable au bord du hamac, je risquai une question : « Par où allons-nous commencer ? Les suspects peuvent être nombreux, Talib était un personnage particulièrement en vue. »

Madame Ha releva la tête et me jeta un regard noir ; elle daigna néanmoins répondre.

« La piste semble toute indiquée. Talib m'a rendu visite ce matin.

— Oui, je sais. »

Cette réponse figea madame Ha la bouche ouverte, puis à une moue coléreuse succéda un léger pincement des lèvres — sans doute un sourire.

« J'aurais dû me douter que tu m'espionnerais. Oui, Talib est passé ce matin. Il m'a remis un document très intéressant. Il désirait que je prenne connaissance des tenants et aboutissants de l'enquête sur les trafics de tortues bleues. Je sais donc dans quel sens orienter nos recherches. Que demander d'autre pour l'instant ? »

Sans attendre une réaction de ma part, madame Ha reprit le roman qu'elle avait commencé avant le coup de fil fatidique et feignit de lire. Cela signifiait qu'elle ne tenait pas à m'en dire plus quant au contenu du document que lui avait remis le défunt conseiller. Une méthode habituelle : elle rechignait systématiquement à me tenir au courant de ses trouvailles, prétextant que s'expliquer durant une enquête la déconcentrait. Je pense qu'il s'agissait plutôt d'une question de sens du théâtre, une seconde nature chez elle.

Je me rejetai dans le hamac, qui tangua dangereusement, et croisai les mains derrière la tête, m'installant pour réfléchir un peu à l'assassinat, à la brèche et au trafic de tortues bleues. Un petit quart d'heure plus tard, la contemplation du plafond ne m'avait guère fait progresser sur la piste du crime. Je regardai ma montre. J'avais largement le temps de porter à la Brigade la bouteille de chélonite à analyser, avant que messieurs les conseillers ne débarquent ici. Madame Ha ne quitta pas son livre des yeux quand je lui dis où j'allais.

« Votre lecture est intéressante ? »

Juste un grognement réprobateur, et un grincement : elle s'enfonça un peu plus dans son fauteuil.

Je m'apprêtais à sortir lorsque la cloche sonna. Je regardai par la petite vitre fixée au milieu de la porte d'entrée. Les visages graves de deux hommes-chats s'y encadraient. Je ne me souvenais pas les avoir déjà rencontrés.

« Pourrions-nous voir le docteur Ha, s'il vous plaît ? » me demanda celui à la fourrure rousse. Son compagnon avait la fourrure brune.

Je les escortai au salon. Madame Ha se leva, les salua d'une légère courbette. Nos visiteurs firent de même mais refusèrent de s'asseoir. Le rouquin reprit la parole.

« Docteur Ha, nous désirons que vous vous chargiez de l'enquête sur la mort du conseiller Talib.

— Je m'en occupe déjà, mais comment savez-vous...

— Nous le savons. Je suis le *lestemain* Farouk, voici l'*adine* Talieb, frère du conseiller. » L'autre homme-chat resta impassible. « J'ai été chargé par la communauté des hommes-chats de demander officiellement votre intervention. Nous avons déjà eu affaire à vous, et savons que vous aurez à cœur de dévoiler la vérité. Vous aussi, monsieur Doulémi, » ajouta-t-il en regardant dans ma direction. « L'*adine* Madjid vous a transmis un mode neural. » Comme si cela expliquait tout, le *lestemain* Farouk se tut puis fit mine de se retirer.

« Un instant ! dit madame Ha. Comment pourrai-je vous prévenir de l'avancement de l'enquête ?

— Nous le saurons, » fut la seule réponse. Les deux hommes-chats partaient déjà.

Je refermai la porte derrière eux, passablement médusé.

« Les hommes-chats aiment faire des mystères, mais cette fois, c'est le pompon... Je me demande d'où ils débarquent, ces deux-là, » dis-je à madame Ha qui m'avait rejoint.

« Ils sauront, a-t-il dit. Il faudra bien que nous nous en contentions... » me répondit-elle d'un ton résigné.

L'après-midi touchait à sa fin, le ciel s'était dégagé. Le soleil perçait timidement entre les masses blanches des nuages, ses rayons bas illuminaient les maisons d'un jaune chaleureux. Un vent froid s'insinuait dans les rues. N'ayant pas pris ma veste, je marchai d'un pas rapide. Je croisai une bande de manifestants, qui dansait en chantant « Y'a dans les rêves de l'enfance les ouragans de demain ». Je me sentais dans la peau d'un traître : la mort de Talib restait un secret, et plutôt que d'en informer les Zantis, j'allais voir la Brigade urbaine.

Un petit groupe campait sous la façade tarabiscotée de l'Épi. Mal à l'aise, je pris l'escalier étroit qui montait sur la gauche. La Brigade logeait dans la partie basse du bâtiment, coincée sous une passerelle, face à un autre immeuble. Ses fenêtres recevaient rarement les rayons du soleil.

Le garde posté au bureau dans l'entrée, un grand gaillard à moustache blonde auquel j'avais rendu service une fois, jeta un coup d'œil surpris à ma veste bleue, mais me gratifia d'un sourire aimable. Il me dit que Manssour se trouvait au premier. J'y grimpai derechef, en montant les marches deux par deux. Je frappai à la porte de verre brouillé. J'entrai sans attendre de réponse.

« Ariel ! » fit Manssour d'un ton catégorique, comme si l'énoncé de mon prénom recelait une vérité essentielle. « Tu tombes à pic, gamin, je viens d'avoir Basel, il remonte tout de suite. Il sera là en fin de soirée. Qu'est-ce qui t'amène ?

— Cette petite bouteille, » dis-je en brandissant la fiole de chélonite que je venais d'extirper d'une de mes poches de pantalon. « Il y en avait deux comme ça sur une étagère dans la pièce cachée du bureau de Talib. À l'odeur, ça empeste la tortue. Madame Ha aimerait que tu cherches les empreintes là-dessus aussi.

— Pas d'analyse chimique ?

— Tu fais ce que tu veux, j'ai déjà fait la mienne. » Je lui montrai mes crocs, histoire de le faire râler.

Grimaçant, il saisit avec délicatesse le mouchoir qui emballait la bouteille et posa le tout à ses côtés. « Rien d'autre dans cette pièce ?

— A priori on n'a rien trouvé. Quand une de tes équipes ira-t-elle retourner le bureau ?

— Je ne sais pas, ça va dépendre de Basel. Dans la matinée de demain, je suppose. En attendant, j'ai posté un garde à la porte. »

Manssour ferma son dossier et alla s'asseoir sur le bord de son bureau, une épaisse planche simplement vissée sur des tréteaux.

« Un seul garde ? fis-je en m'appuyant contre le mur nu.

— On ne peut pas prendre le risque d'alerter les gens. Les conseillers souhaitent une discrétion absolue. »

Il se releva et alla chercher la bouteille près de la console où il l'avait laissée.

« Je vais porter ça tout de suite aux gars de l'analyse. Je peux autre chose pour toi ?

— Pour l'instant, non. De toute manière, il faut attendre que Basel revienne. Tu as chargé quelqu'un de fouiner aux alentours du bureau de Talib ? »

Manssour fronça ses épais sourcils, l'air faussement outragé.

« Mais il a de ces questions, ce môme ! Évidemment, que nous recherchons des témoins. Deux gars enquêtent là-bas.

— Tu sais que les conseillers viennent chez nous ce soir ?

— Bon courage. »

Chapitre dix-sept

Le conseiller Titus Ascanius sonna le premier à la porte. Il était 18 h 52. Ascanius répondit à mon bonsoir d'une voix manquant de fermeté. C'était un centaure dans la force de l'âge, porteur d'une courte barbe poivre et sel, de taille moyenne pour sa race : autant dire que la partie humanoïde de son corps me dépassait de deux bonnes têtes. Il portait la toge traditionnelle des Néo-troyens, grise bordée de noir.

Mohad Ladame et Tofic Zéhar arrivèrent peu de temps après. Le premier, menton pointu et cheveux blancs coupés en brosse, ne me gratifia que de son manteau et de son mépris. Le second, doté de trois mentons et de quatorze cheveux collés en éventail sur un crâne rose, me fit un sourire crispé et me confia également son manteau. Le conseiller Foued El-Djid arriva bon dernier : lorsqu'il sonna, ses trois collègues étaient déjà installés dans le salon et madame Ha leur proposait des rafraîchissements.

Le visage de El-Djid ne s'oubliait pas facilement : aussi large que haut, il semblait avoir subi un coup de fer à repasser. El-Djid me salua d'un hochement de tête neutre et, conservant sa veste, s'installa à son tour sur un des fauteuils que j'avais transportés dans la pièce.

Madame Ha se tenait debout près de son bureau, face à nos invités. Je me glissai derrière le mien, à droite de la porte et contemplai la scène.

Agenouillé sur des coussins que j'avais eu soin de poser sur la pelouse, près de la porte, le conseiller Ascanius se trémoussait avec gêne. La tristesse et l'angoisse se lisaient sur son visage. À sa droite, El-Djid, maussade, et Ladame, ouvertement hostile, occupaient le divan. Zéhar se tenait perché sur le bord d'une chaise, contre la baie vitrée. Lui aussi affichait un air maussade. Madame Ha, proposant encore des boissons à la cantonade, ne reçut que des réponses négatives. Elle alla donc s'asseoir derrière son bureau.

« Messieurs, je dois d'abord vous remercier d'être venus, commença-t-elle. Je me doute que vous deviez avoir de multiples occupations à cause de cette triste affaire, mais vous comprenez bien, je pense, que la mort du conseiller Talib requiert une enquête rapide.

— J'aimerais d'abord savoir en quel honneur vous organisez une telle réunion, » coupa Ladame, son regard furibond bondissant de madame Ha à ses collègues. « Monsieur Manssour n'étant pas là maintenant, les arguments que vous avez avancés cet après-midi ne tiennent plus. Vous n'avez aucun mandat officiel vous permettant de mener cette enquête.

— En effet, monsieur Ladame, dit madame Ha en hochant la tête.

— Vous avez un client, alors ?

— Je n'ai pas de mandat officiel pour m'occuper de cette enquête, et je n'ai pas de client. Certaines personnes m'ont demandé de prendre l'enquête en charge, mais j'avais déjà pris cette décision par intérêt personnel. Aucune loi ne m'interdit de mener une enquête pour mon propre compte. Et c'est bien ce que j'entends faire. Vous êtes tous venus de votre plein gré, messieurs, je n'ai aucun moyen de vous retenir. Mais vous sachant tous particulièrement intéressés par cette affaire, je suppose que vous avez à cœur qu'elle soit résolue le plus rapidement et le plus discrètement possible. Désirez-vous partir, monsieur Ladame ? »

Sans faire mine de répondre, Ladame tourna un regard accusateur vers Ascanius.

« C'est de votre faute ! Vous n'aviez pas à faire appel à cette femme sans nous consulter.

— Je vous ai déjà dit que c'était la meilleure solution. En l'absence de Basel, il fallait s'adresser à quelqu'un de confiance et d'expérience.

— De confiance ! Mais c'était à Manssour de faire son boulot !

— Taisez-vous Mohad, vous dites n'importe quoi, grogna El-Djid. Madame Ha est la plus qualifiée pour s'occuper de l'assassinat de Talib, j'aurais fait exactement comme Ascanius. »

Les trois conseillers se turent ; madame Ha put reprendre la parole.

« Merci monsieur El-Djid. Vous savez tous, messieurs, quelle estime je portais au conseiller Talib. Croyez que je ferai tout mon possible pour découvrir son meurtrier, en liaison bien entendu avec la Brigade urbaine. J'ai donc un certain nombre de questions à vous poser, vous vous en doutez. »

Madame Ha se redressa dans son fauteuil. Elle se pencha en avant, les coudes sur le bureau et les mains jointes comme en prière.

« Tout d'abord, qui d'entre vous connaissait l'existence de la petite pièce attenante au bureau de Talib ? »

Aucune réponse. Les quatre hommes s'entre-regardèrent avec suspicion. Ladame, perché tellement au bord de sa chaise qu'on aurait dit qu'il allait tomber d'une seconde à l'autre, éleva enfin la voix.

« J'ignorais tout de cette pièce cachée.

— Moi de même, » lâcha Zéhar d'un ton sec.

Le regard de madame Ha se posa sur Ascanius.

« Et vous, monsieur Ascanius ?

— Je ne savais rien moi non plus d'un tel endroit, et je ne comprends pas ce que Talib (sur ce nom, sa voix trembla légèrement), euh, ce que Talib pouvait bien fabriquer dans une pièce pareille. Je n'avais jamais vu de brèche avant cet après-midi. »

Ascanius baissa la tête et se remit à se trémousser.

Le regard de madame Ha se porta ensuite vers El-Djid.

« Je n'avais jamais entendu parler de cette brèche, déclara-t-il. Mais ça n'a rien d'étonnant : je suis conseiller à l'Approvisionnement, pas à la Sécurité, et c'est le conseiller à la Sécurité lui-même qui enfreignait la loi. Talib était un homme puissant, il surveillait une bonne part de la ville par le biais de ses agents, que je ne connais pas, et il avait aussi la Brigade sous sa tutelle. Enfin, il présidait le Parlement. Lui seul sans doute savait quels buts servait la brèche.

— Accuseriez-vous Talib d'avoir abusé de son pouvoir ? demanda madame Ha, le visage terriblement immobile.

— Pas du tout, nous connaissions tous sa grande probité. De tels pouvoirs n'auraient pas été confiés à n'importe quel homme. Mais le fait est qu'il était le seul, je pense, à connaître les tenants et les aboutissants de son réseau d'agents et qu'il avait de toute évidence fait aménager une partie de son bureau pour dissimuler la brèche, chose illégale s'il en est.

— Vous exagérez ! intervint Ascanius, relevant la tête brutalement. Rien ne nous dit que c'est Talib qui avait fait aménager cette pièce. Il a très bien pu être tué en découvrant la porte cachée.

— En effet, monsieur Ascanius, cette hypothèse n'est pas à écarter, » dit madame Ha. Elle se rejeta en arrière, son dos appuyé contre le dossier de son fauteuil, les coudes cette fois posés sur les accoudoirs. « On peut effectivement envisager que Talib a été assassiné par quelqu'un qui n'appréciait pas qu'il ait mis à jour la brèche. Mais dans ce cas pourquoi la personne n'a-t-elle pas refermé la porte cachée, si son but était d'en interdir la découverte ?

— Elle fut peut-être dérangée ? demanda Ascanius.

— C'est possible, en effet. Au stade actuel de l'enquête aucune hypothèse ne peut être rejetée. Mais tout d'abord, j'aimerais savoir ce qui s'est passé après que Manssour a eu trouvé le corps ? »

C'est encore le centaure qui répondit.

« Il m'a tout de suite appelé. Vous savez que mes bureaux se trouvent à côté de ceux de Talib.

— Quelle heure était-il, approximativement ?

— Un peu plus d'une heure. Une heure et quart, peut-être. Manssour a envoyé un garde me chercher dans mon bureau et je suis descendu. Ladame venait d'arriver. Ensemble, nous n'avons pu constater que l'évidence. Je suis remonté vous téléphoner, puis j'ai appelé le docteur Jong. Monsieur Manssour avait envoyé des gardes chercher mes collègues. Monsieur Ladame puis monsieur El-Djid sont arrivés peu de temps après.

— Vous étiez dans votre bureau, monsieur Ladame ?

— Évidemment, sinon le garde ne m'aurait pas trouvé.

— Et vous, monsieur El-Djid ?

— Également. »

Madame Ha se tourna vers Tofic Zéhar.

« Et vous, monsieur ? »

Le conseiller ainsi interpellé se redressa sur sa chaise. Il s'assit enfin autrement que sur la pointe des fesses.

« Je suis arrivé au bureau peu de temps après Manssour. J'avais rendez-vous avec Talib à quatorze heures, mais j'étais là un peu en avance. »

Ladame, qui recommençait à fulminer depuis un bon moment, choisit ce moment pour faire de nouveau explosion.

« Oh, assez ! Vous nous questionnez comme si nous étions coupables !

— Comme je l'ai dit il y a quelques minutes, aucune hypothèse ne peut être rejetée.

— Ne vous moquez pas de nous, madame ! » dit Ladame en brandissant un index noueux et accusateur.

Madame Ha choisit de l'ignorer. Elle se pencha pour ouvrir l'un des tiroirs de son bureau. Elle en ressortit un livre.

« Connaissez-vous cet ouvrage messieurs ? Tenez, monsieur Zéhar. »

Elle le lui tendit. Le conseiller tourna le petit volume de cuir vert sous toutes ses coutures avant de hocher négativement de la tête.

« Non, jamais vu. Qu'est-ce que c'est ? Une pièce à conviction trouvée sur le bureau de Talib ?

— Monsieur Ladame, avez-vous déjà vu ce livre ? » redemanda madame Ha sans tenir compte de la question de Zéhar.

Ladame prit le livre. Il n'y jeta qu'un coup d'œil avant de répondre par la négative et de le passer à El-Djid qui haussa les épaules après un coup d'œil tout aussi bref. « Jamais vu. » Il ouvrit le volume puis, en ayant lu le titre, le passa à Ascanius. « Ce n'est qu'un roman sur la fondation de la Nouvelle-Mississipi, quel rapport avec ce qui nous intéresse ? »

Ascanius déclara à son tour qu'il ne pensait pas avoir déjà vu ce livre. Il esquissa le geste de se lever pour me le rendre. Madame Ha fut plus rapide et récupéra son bien. Elle revint tranquillement à son fauteuil en remerciant ces messieurs de s'être dérangés, en leur demandant de bien vouloir l'excuser de tous ces tracas. Ladame protesta encore un peu, il voulait savoir ce qu'était ce livre et ce que madame Ha avait l'intention de faire, mais il en fut pour ses frais. Je les raccompagnai jusqu'à la porte. Ascanius dut légèrement baisser la tête pour sortir, ce qui me remit en mémoire le geste du conseiller Talib le matin même. Il faudrait peut-être penser à faire réhausser cette porte. Ladame ne me dit pas au revoir, El-Djid se contenta d'un léger signe de tête.

« L'Empereur me damne si je comprends à quoi rimait ce petit jeu avec le bouquin ! » fis-je en revenant au salon.

Madame Ha quitta son bureau. Elle alla allumer la lampe surplombant son fauteuil favori. Elle sortit d'une de ses manches un mouchoir qu'elle déplia délicatement pour saisir le roman vert.

« Ne jure pas à tort et à travers, Ariel. Tiens, tu devrais porter ce livre à monsieur Manssour, il est tard mais je pense qu'il doit encore travailler ce soir. Fais attention aux empreintes. Je n'ai pas trouvé d'autre moyen de les récolter sans vexer ces messieurs. »

Je retournai jusqu'à l'Épi à la lueur orangée des éclairages publics et à celle plus blanche des quelques lampadaires semi-vivants ayant survécu à la Disparition. Il n'y avait personne dans les rues que j'empruntai, mais une rumeur flottait sur la ville. Je remarquai de l'agitation lorsque j'arrivai en vue de la Brigade. Des silhouettes de gardes se découpaient sur la lumière de la porte, sortant du bâtiment ou y rentrant. Certains gardes utilisant des feux-de-poing. Une partie de la façade avait subi un arrosage à la peinture bleue.

M'approchant, je distinguai la silhouette trapue du surveillant Basel. De toute évidence, il venait à peine de rentrer d'excursion, pour s'entendre dire que nous avions reçu le ciel sur la tête. Il gesticulait, ses grosses mains décrivant des courbes au-dessus de sa tête. Ses subalternes ployaient l'échine sous l'avalanche de reproches proférés d'une voix forte.

« Bonsoir surveillant, » dis-je à son large dos vêtu d'un manteau de toile verte.

Basel se retourna d'un bloc, l'air farouche.

« Doulémi, vous voilà bien ! J'allais me rendre chez vous.

— Vous êtes toujours le bienvenu.

— Ne vous foutez pas de moi. Entrez, » dit-il en me poussant dans l'entrée de la Brigade.

Nous montâmes au premier étage, dans son bureau. Il alla directement vers le grand classeur gris qui trônait tout seul au milieu d'une des parois. Tirant du tiroir du haut une bouteille d'un alcool que je ne reconnus pas (ce genre de chose n'est pas mon fort), il s'en versa un verre sans m'en proposer. Il revint vers son bureau, s'asseoir dans le fauteuil qui me faisait face.

« Manssour vient de m'expliquer ce qui s'est passé. C'est catastrophique. Un conseiller assassiné ! Et le conseiller à la Sécurité, de plus ! Cette histoire de brèche ne me plaît pas du tout, on ne sait jamais quel grabuge para-religieux il peut y avoir derrière ce genre de trucs ! Sans parler des troubles civils ! Si les Zantis ont vent de cette histoire... »

Il fit un autre geste menaçant avec son verre. Je lui conseillai d'en boire le contenu si son intention n'était pas de m'arroser avec. Sans m'écouter, Basel continua sur sa lancée : « J'ai entendu dire que vous fricotiez avec les Zantis, jeune homme. On peut savoir à quoi vous jouez, exactement ? » Il se campa face à moi, l'air hostile.

« En quoi cela vous regarde-t-il ?

— Vous le savez fort bien : s'il venait à se savoir que Talib contrevenait aux lois sur les brèches, cela donnerait un argument de plus à ceux qui réclament des élections.

— Certains de vos hommes sont en grève, non ? » lançai-je en guise de réponse.

Basel me fixa un instant d'un air sombre, puis il lança un grognement et finit de boire d'un trait. Il reposa avec violence son verre sur le dessus du bureau et se leva, pour se mettre à arpenter la pièce.

« Manssour a fait analyser le pistolet retrouvé près du corps. Il n'y avait pas la moindre empreinte digitale. Par contre, c'était un pistolet de la Brigade et comme tel, identifié par un numéro. » Il se retourna brusquement, théâtral. « C'est l'arme du conseiller Zéhar. Quant à la bouteille que vous nous avez apportée cet après-midi, elle ne portait qu'une seule sorte d'empreintes, celles de Talib. Elle contient une solution de chélonite que nous n'avions pas encore rencontrée. Très pure, le laboratoire pense qu'il ne s'agit pas d'un poison, mais plutôt d'une drogue. Encore une saleté de drogue nouvelle, à croire que ces tortues bleues ne savent produire que ça ! »

J'interrompis ce flot de paroles, inhabituel chez un homme aussi taciturne.

« Madame Ha m'a demandé de vous apporter ceci. »

Je dépliai le mouchoir pour révéler le petit roman vert.

« Qu'est-ce que c'est encore ? Une pièce à conviction ?

— Non, il s'agit d'un simple roman. Il a la particularité de porter, outre les empreintes de madame Ha, celles des conseillers Ladame, Zéhar, Ascanius et El-Djid.

— Je me demandais justement comment les obtenir sans scandale. Mais elles sont toutes mélangées ?

— Nous n'avons pas réussi à faire boire ces messieurs, recueillir leurs empreintes de manière individuelle s'est donc avéré impossible. Mais ça servira déjà à fins de comparaison avec celles qui sont dans le bureau de Talib, non ?

— Oui, je suppose. De toute manière, j'aimerais que Madame Ha et vous-même nous aidiez sur l'enquête. »

Il leva la main droite pour prévenir toute protestation de ma part.

« Je sais, la dernière fois, je vous ai interdit de vous occuper d'une affaire. Mais cette fois c'est différent. Pas de commentaires ?

— Non, monsieur, à vos ordres, monsieur. Madame Ha sera certainement ravie de compter de nouveau la municipalité parmi ses clients. »

Chapitre dix-huit

Une surprise m'attendait le lendemain matin au réveil. Lorsque, grand bol de céréales à la main, je pénétrai dans le salon, madame Ha trônait déjà dans son fauteuil près de la baie vitrée grande ouverte. Elle avait attaqué un petit roman à la couverture jaune et blanche.

Elle ne me dit pas bonjour, ce qui, somme toute, constituait un retour à la normale.

Je ne fis aucun commentaire. J'allai m'asseoir à mon bureau pour siroter ma boisson.

« Quand tu auras enfilé une chemise et que tu te seras peigné, j'aimerais que tu te rendes au bureau de Talib. Basel a téléphoné, son équipe doit déjà être en train de tout passer au peigne fin. Je veux que tu me rapportes l'agenda que tu as trouvé dans le bureau hier, ainsi que les dossiers qui sont dans le même tiroir. »

Elle proféra les mots sans lever le nez de son livre, d'un ton calme mais catégorique.

Ma foi, mon boulot dans l'association consistant à faire le principal des démarches incluant un déplacement physique, il n'y avait rien à redire, sauf peut-être quant à la courtoisie. Je préférais pourtant voir madame Ha revenue à sa brusquerie habituelle, plutôt que se morfondant sur l'assassinat de son ami.

Je m'apprêtais à sortir lorsqu'un grand bruit d'explosion retentit. Je me précipitai dans le salon, le cœur dans la gorge.

Je m'immobilisai, stupéfié. J'éclatai de rire !

Madame Ha se tenait debout, toussant, crachant et vitupérant, repeinte en bleu de pied en cap. Un nuage bleuté finissait de se déposer aux alentours de la baie vitrée. Une odeur de craie emplissait le salon, sourde et astringente. Je m'approchai précautionneusement de ma patronne et tentai d'épousseter la poudre qui recouvrait ses cheveux. Soulagé après la peur que j'avais éprouvée, j'étais secoué de gloussements nerveux. Madame Ha toussa de plus belle, ses yeux pleuraient. Elle commença à me maudire, moi et mes foutus crétins d'amis zantis. Je repartis à rire.

Une heure plus tard, j'arpentais les lieux du crime, correctement coiffé et vêtu d'une chemise propre. Plutôt que de passer par la place de l'Épi, j'avais choisi de contourner les bâtiments de façade afin de rejoindre le bureau du défunt conseiller Talib par une arche arrière. Comme des Zantis campaient toujours devant l'Épi, je préférais me faire discret. Jani, Zaïbé et les autres ne comprendraient peut-être pas qu'en fouillant dans les secrets du Parlement, je travaillais quand même pour la cause zanti.

J'appris que Basel arriverait plus tard. Manssour m'accueillit d'un sourire qui illumina un quart de seconde son long visage. Il me convia à entrer avec la courtoisie d'une maîtresse de maison qui redoute que l'on salisse son parquet.

J'aimais beaucoup voir les gardes à l'œuvre lorsqu'il y avait eu un crime : chacun s'occupait, qui à gratter telle tache insignifiante au bas d'un mur, qui à relever les empreintes sur un abat-jour, qui à soulever un coin du tapis des fois qu'y serait dissimulé un autre cadavre. J'étais gâté, ce coup-ci : le bureau grouillait de porteurs de blouse verte.

Contrairement à la fois précédente, les volets avaient été ouverts ; la lumière du jour se répandait sur les lieux, leur conférant un aspect singulier, différent de celui qu'ils avaient adopté sous l'éclairage artificiel. La pièce me parut un peu plus grande, elle avait perdu une bonne partie de son mystère.

Le tapis me sembla moins sombre que la première fois. Un spécialiste de ma connaissance, du nom de Izzadin Assah, le parcourait à quatre pattes. Je saluai Assah et, l'enjambant, m'accoudai à la fenêtre.

Le ciel exhibait, comme la semaine passée, ce bleu intense qui fait aimer l'été. Talib n'avait peut-être pas eu un bien grand bureau, mais il disposait au moins d'une vue splendide : les toits du quartier ouest se déroulaient en pente raide et chaotique jusqu'à la forme oblongue d'un pilier météo, marquant la frontière du Toit du Palais. Le regard s'égarait ensuite dans la brume gris-vert de la campagne, jusqu'à la barre brune des montagnes obturant l'horizon.

Il fallait que je me mette au travail : j'allai vers le bureau et, saisissant un mouchoir au cas où le bouton aurait échappé au petit pinceau des releveurs d'empreintes, ouvris le tiroir où j'avais repéré un agenda de cuir noir. Il reposait toujours là où je l'avais abandonné. Redressant la tête, j'interpellai un des virtuoses de la poudre.

« Vous avez relevé les empreintes ici ? Je veux prendre quelque chose dans le tiroir. »

Le garde m'ayant répondu affirmativement, je m'emparai de l'agenda. Pas besoin d'être sorcier pour deviner ce qui intéressait madame Ha. Voyons, hier, nous étions le 29 ; je trouvai la page, sur laquelle couraient trois lignes brèves :

12.30 - RDV Vallée.
13.00 - Bydd Rig.
14.00 - RDV Zéhar.

La dernière note brillait de clarté : Zéhar avait bien eu rendez-vous avec Talib à 14 heures, ainsi qu'il nous l'avait affirmé. Les deux autres notes, en revanche, baignaient dans l'obscurité. Rien d'autre ne figurait sur la page du jour.

Madame Ha m'avait également demandé de rafler les dossiers rangés dans le même tiroir. Tâche d'autant plus aisée qu'il n'y avait que deux classeurs, l'un marqué « Finances » l'autre « Approvisionnements ».

Je relevai la tête en entendant Manssour s'adresser à Basel, qui venait d'arriver. Les spécialistes quittaient la pièce, leur boulot terminé. Je répondis au petit signe de la main d'Assah. J'allai rejoindre Manssour et Basel qui discutaient sur le pas de la porte. J'adressai au surveillant général mon sourire numéro quatre (« petit sourire discret exprimant une amitié moqueuse »). Pas de sourire de la part de Basel, mais un froncement de sourcils et une ferme poignée de main, type « relation de travail ».

« Qu'êtes-vous en train de voler ? » demanda-t-il en indiquant du menton les classeurs que j'avais glissé sous mon bras.

« Madame Ha m'a chargé de lui rapporter tout ça.

— Que compte-t-elle en tirer ? demanda Basel en entrant dans la pièce.

— Je ne le sais pas encore. L'agenda confirme en tout cas que monsieur Zéhar avait bien rendez-vous ici à 14 heures hier. Pour le reste, ça pourrait aussi bien être du chinois. Ça vous dit quelque chose ? » l'interrogeai-je en ouvrant le carnet à la page du 29 pour lui montrer les deux notes mystérieuses.

Il prit l'agenda dans ses grosses mains puis, après un coup d'œil, le fit passer à Manssour qui était demeuré derrière moi.

« Non, je ne sais pas ce que ça veut dire. Vallée est peut-être le nom d'un employé de l'Épi, on va vérifier. Je suppose qu'on peut marcher là-dessus sans se casser la gueule mais je n'aime pas beaucoup ça, » ajouta-t-il en désignant le plancher invisible du cabinet secret.

Il tenta un pas prudent, puis s'avança carrément jusqu'à la table. Manssour me rendit l'agenda sans commentaire et nous suivîmes le surveillant. Un des gardes avait dû dénicher le commutateur électrique qui nous avait échappé auparavant. Une lumière tamisée tombait d'une série d'appliques placées en haut des murs. La plaque ronde que Madame Ha avait examinée tournait lentement, sans un bruit.

« Mes hommes ont relevé toutes les empreintes de cette pièce et de l'autre, nous allons pouvoir les comparer à celles du livre prêté par madame Ha, me dit Basel. Une brèche dans le bureau du conseiller à la Sécurité, tout de même, ajouta-t-il, secouant la tête comme pour déloger un concept trop dérangeant. Vous avez une idée de ce à quoi ce machin là-haut pouvait servir, Doulémi ? »

Je suivis son regard vers la plaque ronde mais dus admettre que je n'en avais aucune.

Chapitre dix-neuf

Madame Ha s'empara de l'agenda dès mon retour de l'Épi. Elle s'y plongea immédiatement. Recroquevillée dans son fauteuil, elle émettait de temps en temps un « intéressant » ou un « oui » murmuré, mais ne m'expliqua pas ce qu'elle y découvrait. Elle feuilleta également les deux classeurs. Un long moment s'écoula avant qu'elle ne pose le tout à ses côtés, sur le dessus d'une pile de bouquins. Elle se leva en se frottant le dos.

« Pendant ton absence, j'ai téléphoné à l'ambassade de New-Mississipi. C'est le nouveau secrétaire, Lord Basil, qui m'a répondu. L'état de santé de Son Excellence semble stable. J'ai aussi préparé le repas. Il faudra songer à racheter des œufs, je les ai presque tous utilisés pour la tarte. »

Je lui apportais des éléments pour l'enquête et elle me parlait d'œufs. Comme elle se dirigeait vers la cuisine, je me mis sur son passage, les bras croisés.

« Bien sûr, ne manque-t-il pas aussi du fromage ? En passant devant chez Hacène, l'autre jour, j'ai vu en vitrine qu'ils avaient reçu de ces délicieux crottins de chèvre dont vous raffolez tant. »

Ignorant mon ton acide, madame Ha m'écarta. « Oui, c'est une bonne idée. Tu iras en acheter après le repas, ça nous changera, pour ce soir. » Ouvrant la porte d'un placard à provisions elle ajouta, comme en passant : « Pendant que tu y seras, pourrais-tu faire un crochet par l'Épi, pour interroger le conseiller Zéhar ? Il serait bon qu'il nous explique pourquoi son pistolet a été utilisé pour le crime, tu ne crois pas ? Tu lui demanderas aussi ce qu'il sait sur les tortues bleues. »

La douceur de l'air avait fait sortir les gens de chez eux. La révolution avançait tranquillement. Des structures en bois bleu, stands et estrades, encombraient la place en demi-lune devant l'Épi. S'y bousculaient badauds, donneurs de tracts, jongleurs, politiciens en herbe, pâtissiers amateurs et montreurs d'automates. Des effluves appétissants s'insinuaient partout. Des rouleaux de papiers s'étalaient sur les marches de l'Épi, où l'on vous demandait de signer la pétition pour obtenir les élections. Des architectes exposaient sur de grands panneaux multicolores leurs projets de rénovations. Des boules de vol peintes en turquoise, attachées aux montants d'un stand, oscillaient au moindre souffle d'air. Des drapeaux bleus, des banderoles azur, des bannières pervenche, des fanions saphir, des paperolles céruléennes flottaient, pendaient, claquaient, frissonnaient dans le vent.

« Ariel ! Ça faisait un moment ! » m'interpella Zaïbé depuis un stand. LA CELLULE FAMILIALE EST UNE ENTRAVE À LA RÉVOLUTION, proclamaient des lettres bancales. J'allai embrasser ma copine. Jani surgit de derrière un tas de planches. Elle portait un simac dans ses bras. Le petit animal pointa le museau dans ma direction. Il jappa, quémandant une caresse. Les filles commencèrent à faire assaut de reproches et de moqueries. Elles voulaient savoir pourquoi elles ne me voyaient plus. Je levai les mains et reculai de quelques pas en riant. « Moi aussi, je travaille pour la révolution, » leur assurai-je. Je m'esquivai dans la foule remuante, pour tomber en arrêt un peu plus loin devant un autre étalage. Ce ne sont pas tant les gâteaux qui retinrent mon attention que l'individu qui se tenait devant, en train de croquer à belles dents dans la pâte croustillante.

« Manssour, tu pactises avec l'ennemi ? » lui demandai-je sur le ton de la plaisanterie.

Le garde se retourna et rougit légèrement en me reconnaissant. « Je ne suis pas en service. Je suis en grève ». Une ombre de gêne passa sur son visage habituellement taciturne. Pour le coup, je restai stupide à mon tour : Manssour, en grève. Le concept m'apparut si étranger que j'en vacillai presque. « Hé, fais pas cette tête-là, gamin ! se ficha-t-il de moi.

— Excusez-moi, c'est bien ici, le stand où les poules ont des dents ? » rétorquai-je, revenant de ma stupeur. Manssour haussa les épaules, le visage revenu à sa placidité usuelle mais une lueur moqueuse dans les yeux.

« Pourquoi es-tu si surpris ? Tu ne crois pas qu'on aurait droit à des élections, toi ? me demanda-t-il. Tout le monde a le droit d'en avoir assez, même les gardes. »

J'approuvai en souriant, le cœur plus léger à l'idée qu'un tel pilier de l'ordre rejoignait les rangs de la contestation.

« Tu n'as parlé à personne de... » me demanda-t-il avec un petit coup de tête en direction de l'Épi. Ramené à mes préoccupations, je lui assurai que je n'avais pas pipé mot du meurtre. « Je n'apprécie pas tellement qu'on dissimule ainsi les informations aux gens, mais je suis lié par ma parole. L'enquête apportera encore plus d'eau au moulin de la contestation que la simple révélation des mensonges actuels...

— C'est aussi mon opinion, » m'avoua Manssour, qui avait l'air soulagé. « Il faut aller au bout des choses. La place de Talib dans le gouvernement était trop obscure. Je pense qu'on peut faire confiance à madame Ha. » Sa dernière phrase se terminait presque en interrogation. Je lui répondit par un « Absolument » tout à fait sincère. Manssour laissa planer un léger sourire sur ses lèvres : « Alors bon boulot, Ariel. Moi, je vais m'amuser. » Sur cette dernière réplique, le garde s'enfonça dans la foule.

« Le bleu te va mieux que le vert ! » lui criai-je en guise de salut, mais je ne sais s'il m'entendit. Sa haute silhouette disparaissait déjà au sein du tumulte enjoué.

Au sein de l'Épi, Le cabinet des Finances se situait à l'opposée du Conseil de la Sécurité. Il fallait pénétrer dans la couronne intérieure du bâtiment et passer sous l'excroissance agressive du Parlement, par des coursives au plafond en ogive, pour enfin se retrouver devant la façade nord. Je cherchai vainement des yeux un quelconque bureau de renseignements. Il n'y avait qu'une suite de portes sombres de chaque côté d'un large couloir. Cependant, comme je passais devant la première de ces portes, elle s'ouvrit et une charmante dame aux cheveux trop roux pour être naturels, surtout à son âge, s'enquit de ce que je cherchais. Elle me désigna le fond du couloir.

Le conseiller Zéhar avait oublié de se coiffer. Ses quatorze cheveux frisottaient n'importe comment sur son crâne luisant, au lieu d'être répartis pour pallier sa calvitie. C'était cependant le seul désordre dans le bureau où il me reçut. Pas un papier ne dépassait des piles, aucun tiroir ne bâillait. *Chaque chose à sa place* semblait s'imposer comme mot d'ordre.

Seuls un large sous-main rétro et un stylo occupaient la surface du bureau. Zéhar ne cessa pas de les tripoter durant tout le temps que dura notre entretien, remettant droit le sous-main, y alignant le stylo, puis chassant une poussière imaginaire, redéplaçant le stylo qui n'avait pourtant pas bougé, et ainsi de suite.

« Asseyez-vous donc, monsieur Doulémi, m'invita-t-il avec un rictus affable suivi d'un halètement provoqué par sa corpulence. En quoi puis-je vous être utile ? Je pensais avoir dit tout ce que je savais de cette épouvantable affaire à votre collègue, hier soir. »

Je m'installai dans le fauteuil métallique qu'il m'avait indiqué et croisai les jambes.

« De nouveaux éléments sont apparus depuis hier, que nous nous efforçons de tirer au clair. Que savez-vous des tortues bleues, monsieur le conseiller ?

— Les tortues bleues ? Vous parlez de cette histoire de trafic de drogue, c'est ça ? » me demanda Zéhar un peu surpris. À mon signe d'assentiment, il continua : « Pas grand chose, j'en ai peur. J'ai lu dans le journal que votre patronne avait contribué à l'arrestation des trafiquants. Vous avez établi un rapport avec la mort de Talib ?

— Nous en étudions l'éventualité. Vous ne savez rien de ce trafic, Talib n'en a jamais parlé devant vous ?

— Pas que je me souvienne. Talib n'était pas du genre à discuter des affaires ayant trait à la Sécurité ! » Le gros homme avait proféré cette dernière phrase avec une certaine véhémence. Il se radossa dans son fauteuil et reprit son souffle, avant de déclarer, de nouveau affable : « Excusez-moi. Toute cette affaire m'a bouleversé. Je suis désolé de ne pas pouvoir vous être utile, mais je m'occupe des Finances, pas des Approvisionnements. Le conseiller El-Djid pourrait peut-être mieux vous renseigner que moi. »

J'assurai Zéhar que je ne manquerais pas d'interroger son collègue, puis je lui demandai :

« Vous vous rappelez, je pense, que l'arme du crime a été trouvée près du corps ?

— Oui, bien entendu. J'ai vu que c'était un pistolet de Brigade.

— Vous en aviez déjà vu ?

— J'en possède un. Il ne me sert jamais mais il reste ici, dans un tiroir.

— Puis-je le voir, si cela nous vous dérange pas ?

— Pas du tout, mais voyons, dans quel but ? »

Cessant de tripoter son stylo, Zéhar se recula sur sa chaise pour ouvrir le tiroir à sa gauche.

« Ah, tiens, j'aurai juré... » Il passa sa main dans le tiroir, puis la perplexité s'accentua sur son visage comme il relevait brusquement la tête. « Vous ne me soupçonnez tout de même pas... ? »

Je levai une main en signe d'apaisement et lui fis mon sourire numéro cinq bis (« enjôleur et franchement hypocrite »).

« Ne vous alarmez pas, mais les examens ont révélé que votre pistolet avait servi pour tuer le conseiller Talib.

— Ça, c'est trop fort ! » jura Zéhar. À son ton, je n'aurais su dire s'il voulait parler des soupçons qui s'abattaient sur lui ou de l'utilisation de son arme personnelle. Il recommença à aligner nerveusement le sous-main et le stylo selon une même droite. « On est certain qu'il s'agit bien de mon arme ?

— Chaque pistolet porte un numéro, il n'y a aucun risque d'erreur. Qui savait que vous gardiez une arme à feu dans ce bureau ?

— Un peu tout le monde, je suppose... Ça n'a jamais été un secret, c'est même devenu un sujet de plaisanteries entre mes secrétaires et moi. La plupart des personnes travaillant dans ce service doivent être au courant.

— Par ce service, qu'entendez-vous ?

— Le conseil des Finances, bien sûr. »

Zéhar fronçait des sourcils, l'expression à la fois gênée et coléreuse. Une goutte de sueur entama un trajet descendant depuis le haut de son crâne jusqu'à sa mâchoire.

« Donc, n'importe quelle personne du service aurait pu prendre cette arme en votre absence ?

— Oui, absolument. Il n'y a rien ici qui vaille la peine d'être volé. Enfin, je veux dire, je le pensais. N'importe qui peut entrer dans ce bureau, pas seulement les employés des Finances : il vient fréquemment ici des gens des autres conseils. C'est vraiment épouvantable : *mon* pistolet... » Il sortit un mouchoir de sa poche de gilet et entreprit de s'éponger le front.

J'affectai un sourire désolé puis me levai de mon siège pour quitter le conseiller. Il se leva à son tour et, soufflant de plus belle, le mouchoir crispé dans la main droite, il me raccompagna jusqu'à l'escalier monumental. Il me dit encore que c'était épouvantable, son pistolet, qu'il n'avait aucune idée de ce qui s'était passé... Nous nous quittâmes sur une moite poignée de main.

Il paraissait réellement bouleversé, mais impossible de deviner pour quelle raison exactement : le contrecoup d'un meurtre ? Quoique suspect numéro un, il n'avait guère l'allure d'un assassin, mais allez savoir, tout le monde peut tuer son prochain un jour ou l'autre. S'agissait-il d'un simple affolement dû au fait de se voir dépassé par les événements et impliqué dans une telle affaire — ou de l'effarement de constater que pour une fois quelque chose n'était pas *à sa place* ?

Chapitre vingt

Au sortir du conseil des Finances, je retraversai en sens inverse le labyrinthe de l'Épi pour me rendre à la Brigade. J'arrivai un peu essoufflé devant leur porte et demandai au garde de l'entrée si Basel se trouvait là. Son bureau étant vide, je dus pénétrer un peu plus avant dans les lieux pour le trouver, assis un verre à la main sur une table tout au fond du réfectoire désert.

« Tiens, Doulémi. Vous voulez boire quelque chose ? Thé ou café.

— Je veux bien un thé. »

Il se retourna à moitié pour taper sur le clavier derrière lui. Il me dit : « Je viens ici quand je suis fatigué. Je réfléchis mieux dans le calme, et il n'y a jamais personne au réfectoire l'après-midi. »

Après ma rencontre avec Manssour, j'acceptai sans sourciller l'humeur inhabituellement aimable de Basel. Je pris le verre de liquide fumant qu'il me tendait. « N'ayez crainte, je n'ai pas versé de chélonite dedans. D'ailleurs, je serais bien en peine de m'en procurer… » fit Basel en matière de plaisanterie.

De fins piliers torsadés, peints en vert pâle, montaient de place en place pour soutenir le plafond élevé. Une peinture jaune tendre vaguement écaillée recouvrait les murs. La lumière tombait d'une série de fenêtres haut perchées. Avec les tables rangées régulièrement et les rayons du soleil tombant à travers la fumée qui stagnait près du plafond, ce réfectoire dégageait presque une atmosphère d'église.

Me voyant regarder la pièce, Basel dit : « À l'heure des repas, on ne s'entend plus ici, tellement ça résonne, mais quand il n'y a personne c'est bien plus agréable que nos petits bureaux. Vous venez aux nouvelles ?

— Oui, mon entretien avec Zéhar n'a pas été concluant. De votre côté, qu'a donné la récolte d'empreintes ?

— Rien non plus, hélas. Pas d'autres empreintes que celles de Talib dans la pièce de la brèche, et rien d'utilisable dans le bureau. En revanche, j'ai fait contrôler les emplois du temps des conseillers avant le meurtre... »

Basel laissa sa phrase en suspens. Je le pressai de m'en dire plus.

« Hé, ho, jeune homme ! Depuis quand les gamins dans votre genre ont-ils le droit de cuisiner le surveillant général ? réagit-il sur un ton faussement irrité.

— Je ne fais que prendre des renseignements pour madame Ha, à laquelle vous avez demandé de vous aider, » lui répondis-je en affectant mon air le plus innocent. Basel émit un couinement mi-amusé mi-agaçé.

« Nous n'avons rien trouvé sur El-Djid et Ladame, personne ne peut témoigner qu'ils étaient bien dans leurs bureaux. Ascanius est couvert par plusieurs de ses collaborateurs. Par contre, Zéhar a été vu quittant l'immeuble des Finances à une heure et le garde de l'entrée de la Sécurité l'a vu arriver vers une heure et quart. Il peut donc avoir eu le temps de commettre le meurtre.

— Tiens donc, le conseiller des Finances soupçonné de meurtre sur la personne du conseiller à la Sécurité ? Dommage qu'on ne puisse pas souffler ça dans le creux de l'oreille d'un journaliste, il en raffolerait. »

Basel haussa les épaules, l'air plus songeur qu'accablé. « Ne plaisantez pas avec ça. Avec tous les troubles et toutes les grèves, je n'ai plus assez de personnel pour mener l'enquête comme il faut. Certains conseillers menacent déjà de me mettre à pied...

— Ils seraient bien avancés ! D'ailleurs, ont-ils seulement le droit de le faire ?

— Je préfère ne pas le savoir. » Basel souleva encore ses épaules et les laissa retomber dans un geste d'impuissance. Il finit le contenu de son verre.

« Rien sur Vallée ?

— Inconnu au bataillon. Il n'y a pas d'employé de ce nom à l'Épi. Ça peut être n'importe qui, Talib n'avait pas que des agents dans la maison, il recrutait largement...

— Et l'enquête sur le trafic de tortues bleues, progresse-t-elle ?

— Parce que le docteur Ha pense que les deux affaires ont un rapport ? » rétorqua Basel du tac au tac. Ce fut à mon tour de hausser les épaules. « Elle semble le croire, » fut tout ce que je pus dire. Basel émit de nouveau son couinement de dérision. « De toute manière, nous piétinons. Lord Zither attend son procès, muet comme une tombe. J'étais descendu à Swaraj pour enquêter sur les sources du trafic, mais je n'ai rien trouvé. Et avec le manque de personnel... »

Je rentrai avec un moral proche de zéro. Deux jours que nous enquêtions et nous n'avions encore rien trouvé de décisif. Madame Ha vit à ma mine que je ne pensais rien de bien de l'évolution des choses. Elle se rallia à mon opinion dés que je lui eus fait un rapport complet.

Elle commença à arpenter le salon de long en large, pendant que je m'installais dans le hamac.

« J'ai encore relu l'agenda. Je n'y trouve a priori que deux choses intéressantes : le mot *Bydd rig,* qui revient de façon régulière, et ce Vallée qu'on ne sait pas où trouver.

— Ce n'est pas forcément quelqu'un : ce peut être un lieu. »

Moue de madame Ha : « Ne sois pas absurde, on n'a pas rendez-vous avec un lieu. Et Talib ne pouvait pas quitter le Toit pour aller rencontrer quelqu'un dans une vallée.

— Non bien sûr, mais ce quelqu'un pouvait, lui, venir d'une vallée. Nous ne savons pas comment le conseiller se procurait le concentré de chélonite que nous avons trouvé dans la pièce cachée. Si le mot *vallée* avait un rapport avec la provenance de la substance ? »

D'un signe de la tête, Madame Ha me concéda cette possibilité. Les mains croisées derrière le dos, elle entama un nouveau tour de la pièce.

« Et ce livre que Talib vous avait remis, il ne contient rien qui puisse nous aider ?

— Pas directement en tout cas. Il s'agit uniquement de statistiques sur le nombre de tortues bleues saisies, les bars fermés, ce genre de choses... Talib a noté les pistes suivies par la Brigade. Il indique aussi qu'un de ses agents s'occupe de l'affaire.

— Rubi ?

— Certainement pas : si tel avait été le cas, Talib aurait rectifié ses notes après la mort de Rubi. »

Nous restâmes silencieux un moment. Madame Ha tournait dans le salon, je me balançais dans le hamac.

« Talib nous avait dit qu'il avait un autre agent, planqué. Souvenez-vous, selon lui, il était *occupé à 100 %.*

— Je m'en souviens, répondit ma patronne. Mais il ne nous a rien dit d'autre. Talib était très prudent. Trop, puisqu'il risque d'emporter dans sa tombe tout ce qu'il savait. Ah, c'est vraiment rageant ! *Bydd Rig,* qu'est-ce que c'est, *Bydd Rig ?*

— Sans doute un code ? Une anagramme, un pseudonyme ? Peut-être un nom dans une autre langue ? En tout cas c'est du chinois, pour moi. »

Madame Ha s'arrêta brusquement.

« Du chinois, mais oui, tu as raison !

— Pardon ? Je disais ça pour plaisanter, *Bydd Rig* ça ne ressemble pas du tout à du chinois.

— À du chinois, non, mais à une autre langue de la Vieille Terre. Ariel, passe-moi le dico de gaélique ! Là-haut, au-dessus de l'atlas néo-troyen. »

Je sautai à bas du hamac et grimpai à l'escabeau : « Oui, ça sonne assez comme du gaélique, mais pourquoi cette langue-là ?

— Talib n'avait pas que des racines arabes. Je sais qu'en dépit de son nom, sa famille était d'origine celtique. »

Je lui passai le dictionnaire demandé et me penchai par-dessus son épaule pour la regarder fouiller à la lettre V.

« Vallée... En gaélique ça se dit... Glenna ! Ariel, il faut chercher si un agent de l'Épi ne se nomme pas Glenna. Quant à l'autre mot, je me doute de sa signification... »

Elle laissa traîner sa phrase, feuilletant l'autre partie du dictionnaire, s'arrêta un instant sur un mot, puis referma brutalement l'ouvrage, avant que j'aie pu voir de quoi il retournait. Elle releva le regard vers moi, les yeux brillants d'excitation.

« J'ai compris une partie de l'énigme, Ariel !

— Ravi de vous l'entendre dire, madame. Si vous pouviez partager vos lumières avec moi, nous serions peut-être deux à nous réjouir ?

— Plus tard, plus tard ! »

Madame Ha balaya mes protestations d'un revers de la main. Des plis malicieux s'inscrivaient aux coins de ses yeux.

« Il faut absolument trouver ce Glenna, ce qu'il peut nous dire est d'une importance vitale ! Il faut que tu retournes voir Basel, et que vous cherchiez des références à ce nom. »

J'étouffai un soupir, résigné. Que je fasse le trajet à pied ou que je trouve un vélo bleu, je commençais à avoir plein les jambes de ces allers-retours incessants.

« Voilà, c'est ici ! » s'exclama Basel en relevant la tête du dossier de la Sécurité qu'il feuilletait jusqu'alors.

J'abandonnai les rapports qui m'occupaient et me levai pour aller lire derrière son épaule. Nous étions plongés dans les paperasseries des services de Talib depuis plus d'une heure, à la recherche de ce satané Glenna/Vallée.

« Regardez : Ari Glenna, » me dit Basel en pointant du doigt la bonne colonne.

La fiche listait en effet un certain Ari Glenna comme agent de la Sécurité depuis cinq ans. Elle nous donnait également son adresse, dans le quartier nord-ouest.

« Et cette référence-là, c'est quoi ?, » demandai-je en indiquant un chiffre mystérieux en marge de la page.

Basel se frotta la mâchoire en un geste machinal. « C'est un renvoi aux dossiers de la Brigade. Il va falloir que nous les consultions... » Étouffant un soupir, il referma le lourd classeur et se leva pour appeler un garde. Peu de temps après, un employé des archives nous apporta un nouveau gros dossier, à la reliure verte fatiguée. Basel le feuilleta rapidement, mais ne trouva rien. Il recommença à tourner les pages, une expression perplexe inscrite sur son visage. « Je ne comprends pas, il manque la fiche de Glenna...

— Allons bon, ne me dites pas que quelqu'un l'a fait disparaître ?

— Peu probable... En revanche... »

Soucieux, Basel se releva sans un mot d'explication et disparut dans le couloir. Quand il revint, sa mine s'était faite plus sombre encore. Il me brandit un bout de carton sous le nez : « Mort ! » s'exclama-t-il. « Glenna est mort hier, un peu après le conseiller Talib. » Le policier se laissa tomber sur une chaise. Il tordait ses grosses mains sans les voir. « La fiche de Glenna traînait sur le panneau des enquêtes en cours. En fait, seules les analyses préliminaires ont été menées. Après, avec le meurtre de Talib, puis les grèves... » Basel ne finit pas sa phrase.

Je lus les indications médico-légales portées sur la fiche. Date du décès : le 29. Heure approximative : 14 heures Cause : empoisonnement. Analyses : chélonite.

On ne pouvait pas faire plus clair : l'assassin du conseiller Talib s'était également débarrassé de l'agent de la Sécurité. Fin de la piste.

« Rien n'est moins sûr, » affirma madame Ha lorsque je lui eus fait part de nos conclusions. « Si Glenna a été tué vers quatorze heures, il a eu le temps de voir Talib pour lui révéler le résultat de son enquête. » La vieille dame se tut, soudain absorbée par la lecture de la fiche qu'elle tenait entre ses mains. « As-tu lu ça en entier ? » me demanda-t-elle. J'avouai que non, je n'avais regardé que les indications médico-légales. « Il est marqué ici qu'Ari Glenna avait un entraînement de commando... Spécialiste des armes, tireur d'élite. » Le visage de madame Ha s'était figé en un masque impassible.

« Glenna était un... tueur ? » osai-je souffler.

Madame Ha fit un signe affirmatif. Ses yeux étincelaient dans son visage immobile.

« Alors, peut-être le conseiller Talib a-t-il été tué par son agent ? » avançai-je. Madame Ha ne me répondit pas. Elle continua à me fixer d'un regard à la fois courroucé et blessé.

Chapitre vingt et un

« Monsieur El-Djid ! » criai-je en direction du conseiller aux Approvisionnements. L'homme au visage carré se retourna et n'eut pas l'air enchanté de me voir. Il eut cependant la grâce de ne pas trop le laisser paraître : un sourire remplaça immédiatement son ébauche de grimace. Il me fit signe de le rejoindre.

Le soir précédent, j'avais longuement discuté avec ma patronne. Apprendre que Talib employait un tueur lui avait fait un choc. Cependant, nous ne savions toujours rien de la mission qui employait Glenna *à 100 %*, et ne pouvions que faire des conjectures sur le fait qu'il fût ou non l'assassin du conseiller à la Sécurité. Madame Ha et moi avions convenu qu'il fallait que je continue à rencontrer les conseillers. Je devais également m'employer à découvrir l'origine de la chélonite qu'utilisait Talib.

Le téléphone ne fonctionnait plus. La Brigade, débordée, ne parvenait plus à faire face aux tâches courantes : madame Ha avait donc eu l'idée de faire appel aux services de l'ambassade de Nouvelle-Mississipi pour convoyer nos messages. J'y étais descendu ce matin, pensant y voir le nouveau secrétaire de Lord Summer, Lord Basil Alder-Longbridge. On m'avait répondu que je le trouverais au zoo.

Niché frileusement sous la flèche brune de l'ambassade, le zoo néo-mississipien immisçait un petit espace de verdure au sein de la cohue de logis disparates du quartier. Surélevé par rapport à la chaussée, protégé par une palissade de brique, il proposait à l'émerveillement du public une série de fosses et de cages, entre lesquelles serpentaient des allées de sable fin. Quelques personnes se promenaient tranquillement sous les palmiers. J'aperçus le conseiller El-Djid penché sur une fosse.

« Monsieur Doulémi, vous me surprenez en pleine inactivité ! s'exclama El-Djid en me serrant la main. Ce zoo est mon péché mignon, j'adore venir y observer les animaux. »

Un félin allait et venait nerveusement dans la fosse. La face de l'animal rappelait plutôt celle d'un singe que celle du lion dont il avait le corps. Sa queue était relevée, musclée, menaçante. Elle se terminait par un puissant crochet, comme celui d'un scorpion.

« Une manticore, m'expliqua El-Djid en me voyant regarder l'animal. Vous n'en aviez jamais vu ?

— Je dois avouer que non. Je n'étais encore jamais venu au zoo.

— Une bête fascinante, bio-construite en Nouvelle-Murcie d'après des mythes de la Vieille Terre, » m'expliqua le conseiller. Nous contemplâmes en silence la manticore qui, fatiguée de tourner en rond, alla se poster sur un tronc d'arbre.

« Dites-moi, monsieur le conseiller, je suis curieux de savoir pourquoi, lors de la réunion de l'autre soir chez madame Ha, vous avez défendu son rôle contre vos collègues ?

— Ça m'a semblé normal : en tant que conseiller aux Approvisionnements, je connais le rôle que vous avez joué dans l'arrestation des trafiquants de tortues bleues. Le contrôle des importations relève de ma juridiction.

— Lorsque je l'ai interrogé sur cette affaire, monsieur Zéhar m'a effectivement dit que vous deviez être au courant. »

El-Djid me jeta un regard contrarié : « Vous avez parlé du trafic de tortues bleues à Zéhar ? Quel rapport avec le meurtre de Talib ?

— C'est ce que nous aimerions bien savoir, monsieur le conseiller. Que savez-vous de ce trafic, vous-même ?

— Hum... » El-Djid esquissa un vague mouvement de la main. « Rien de plus que ce que les journaux en ont dit, après le coup d'éclat de madame Ha : les bars clandestins, les rêves, tout cela... Talib me tenait au courant de temps en temps pendant l'avancement de l'enquête. Mes équipes étaient sur le qui-vive, ils fouillaient tous les arrivages.

— Vous en parlez au passé ?

— Oh non, en fait les fouilles continuent : mes services travaillent maintenant en liaison avec ceux de monsieur Basel. Le résultat n'est pas très probant, hélas.

— Monsieur El-Djid, monsieur Doulémi, bonjour, » nous salua Lord Basil qui venait de nous rejoindre. Il était jeune, un peu plus âgé que moi-même. Sanglé dans l'habituel costume sombre des Néo-mississipiens, blond, il me dépassait d'une bonne tête. Seule touche d'excentricité dans sa tenue : ses cheveux, noués en catogan derrière sa nuque.

Nous nous serrâmes la main et échangeâmes quelques politesses. J'expliquai à Lord Basil que j'allais justement lui rendre visite, de la part du docteur Ha. « Vous serait-il possible d'envoyer des messagers auprès des conseillers Ascanius et Ladame ? Je souhaiterais les rencontrer, mais faute de téléphone, je ne sais pas comment obtenir un rendez-vous... »

Lord Basil m'assura qu'il se ferait un plaisir de nous aider. Je lui confiai une lettre pour Ascanius et une autre pour Ladame, à charge pour leur réponse de revenir à l'ambassade. Je conservai par-devers moi la lettre destinée à El-Djid, puisque le hasard m'avait fait le rencontrer au zoo. Je pris ensuite congé des deux hommes, arguant d'une autre course urgente. Je promis à Lord Basil de repasser en fin de matinée afin de prendre les réponses des conseillers.

Chapitre vingt-deux

Verte et moussue, haute comme un immeuble de trois étages, la borne météo élevait son ogive à l'extrême bord du Toit. Des vantaux en ornaient le pourtour, à tous les niveaux, telles des ouïes de grenouille sur l'épiderme rugueux.

La borne météo se situait à quelques espaliers en dessous de l'ambassade néo-mississipienne, mais ce n'était pas la raison pour laquelle je l'avais choisie. Dans cette borne et dans nulle autre, Madjid m'avait un jour transmis le mode neural. C'était ici, dans cette bâtisse semi-vivante, que les hommes-chats m'avaient initié à une parcelle de leurs mystères.

En ce qui concernait l'origine de la chélonite utilisée par Talib, tout semblait désigner les hommes-chats. Jong ne m'avait-il pas précisé, lors de notre conversation près de la rizière, qu'il connaissait la drogue du fait de ses relations avec le peuple félinoïde ? Alors que Basel ignorait tout de ce poison avant la découverte du corps de Nassira Mika. Mon mode neural, lui — d'origine *adine* — avait parfaitement identifié le poison. Enfin, les hommes-chats avaient désigné un *lestemain* (une sorte de shaman) pour nous demander d'enquêter sur le meurtre de Talib...

La porte de la borne météo se rétracta avant que j'aie eu le temps de frapper. Je reconnus l'homme-chat gris et blanc qui se tenait devant moi : l'*adine* Fouet-Azin. Il avait assisté à mon initiation.

« *Adine* Ariel, c'est un plaisir de te voir ! » déclara le vieil homme-chat avec une courbette et un sourire. Qu'il me salue du terme d'*adine*, signifiant à la fois *citoyen* et *frère* pour les hommes-chats, était une grande marque d'honneur. « Entre, entre ! » me dit-il en s'effaçant de l'entrée. Les plis de la porte reprirent leur position fermée derrière nous. À l'intérieur de la borne, tout était vert. Une vague odeur d'ozone flottait dans l'atmosphère confinée. Le sol ployait légèrement sous le pas. Je savais d'expérience qu'au toucher, les murs se révéleraient souples et tièdes. Je pénétrai par une porte voûtée dans une salle basse de plafond, à l'ameublement réduit : une paillasse contre une paroi, un réchaud, quelques gamelles. Fouet-Azin s'assit sur le sol, sans plus de cérémonie. Je m'assis face à lui. L'homme-chat me considéra, toujours souriant, mais ne dit pas un mot. Habitué au peu de loquacité de ce peuple, je pris la parole : « J'aimerai parler au *lestemain* Farouk. »

Fouet-Azin continua de sourire doucement, mais ne bougea pas. J'attendis. La lumière tamisée, les teintes émeraude des parois, la douce chaleur, tout concourait à la détente. Un homme-chat s'encadra dans la porte. Il vint s'asseoir aux côtés de Fouet-Azin : Farouk. Roux et imposant. Soucieux de respecter l'étiquette des hommes-chats, je ne dis pas un mot. Farouk me fit enfin signe de m'exprimer.

« Les *adines* fournissaient-ils de la chélonite au conseiller Talib ? » demandai-je simplement.

Farouk ne bougea pas. Fouet-Azin lui jeta un regard en coin, l'air troublé. Farouk se tourna vers lui, inclina brièvement la tête.

« Oui, » me répondit Fouet-Azin. Le vieil homme-chat coula un nouveau regard, interrogatif cette fois, en direction du *lestemain*. Apparemment satisfait de sa réponse non-verbale, il m'expliqua : « Le conseiller Talib avait approché les *adines* afin de mener à bien des recherches sur la Disparition. Ce que tu nommes chélonite peut, en concentration précise, permettre l'exploration d'autres dimensions.

— Et les *adines* n'opposent pas de restriction à ce que l'on explore le Palais ? » demandai-je.

Cette fois, Farouk se décida à prendre la parole :

« C'est un tabou d'humains que de ne pas vouloir approcher la vérité. L'*adine* Talib pensait pouvoir explorer le Palais sans y pénétrer, grâce à la chélonite. Nous le lui avons permis. » Farouk avait bien insisté sur le terme *adine*, comme pour me rappeler que Talib était un homme-chat. Un politicien, impliqué dans la vie de la cité, mais un *adine* néanmoins. Tout comme Madjid. Tout comme moi. Je comprenais la notion d'appartenance aux *adines*, mais j'avais cependant encore une question à poser :

« Savez-vous si le conseiller Talib a partagé ce secret avec d'autres ?

— Nous ne le savons pas. »

Et là le bât blesse, semblait dire l'homme-chat de toute la rigidité de sa pose. Sans un mot de plus, il se releva. Je fis de même, ainsi que Fouet-Azin. Nous nous saluâmes avec une courbette. Le vieil homme-chat me raccompagna à la porte : mon entretien était terminé.

Je remontai à l'ambassade néo-mississipienne. Lord Basil, très aimable, me donna les lettres qui venaient de lui revenir par porteurs. Assis dans l'antichambre des appartements de Lord Summer, je lus les réponses de Titus Ascanius et de Mohad Ladame. Dans un style fleuri et d'une écriture élégante, le premier me conviait à lui rendre visite. Il suggérait un déjeuner en commun, si midi me semblait un horaire convenable. Le second avait hâtivement gribouillé un « D'accord » au bas de ma demande de rendez-vous dans l'après-midi. Je retournai le document : on avait tamponné au revers l'adresse d'un centre social. Je notai avec gratitude qu'il se situait près de l'escalier des Monts Bleus — donc pas trop loin de la résidence d'Ascanius. Voilà qui arrangerait bien mes jambes, passablement lassées par mes allers et venues.

Tout le monde n'obtenait pas le droit d'entrer dans une résidence néo-troyenne. Les centaures se mêlent peu au reste de la population de Spica. Pour ma part, je voyais pour la première fois ce que cachaient les façades closes du quartier sud-ouest. Une jeune centaure vint m'ouvrir et, souriant timidement, m'introduisit dans un couloir sombre et haut. Elle m'abandonna là, bafouillant des excuses. Le bruit de ses sabots sur le carrelage s'estompa rapidement. Je regardai autour de moi. Des frises étroites, aux formes arrondies, couraient au ras du sol et du plafond. Tout en haut, également, des meurtrières couvertes de verre trouble diffusaient une pâle lumière. La jeune fille m'avait fait entrer par une lourde porte de bois, qui une fois refermée ne laissait filtrer aucune lueur de l'extérieur. Originaires d'une planète au soleil fatigué, les centaures recherchaient dans la pénombre de leurs demeures un éclairage moins agressif que celui de Spica Virginis IV. De nouveaux bruits de sabots m'avertirent qu'on venait à ma rencontre. Il s'agissait cette fois d'une centaure d'un certain âge, qui se présenta comme madame Ascanius. À la toge traditionnelle, elle avait ajouté un châle dont les couleurs chaudes se confondaient avec celles de son pelage. Je me courbai en une profonde révérence, déclenchant un rire chaleureux.

« Pas tant de manières, jeune homme ! Nous sommes honorés de vous recevoir, mais nous autres Néo-troyens sommes bien moins formels que les humains ! Suivez-moi donc, » me dit-elle en me tirant gentiment par la main. « Mon époux vous attend dans le jardin... »

Nous franchîmes une ouverture, qui donnait sur un espace de verdure. Un demi-jour perlé coulait du ciel, filtré par des plaques de verre flou. Traditionnellement, les résidences néo-troyennes s'ornaient d'un vaste patio central, à la fois jardin et salon. Faute de supporter les attaques du soleil, les centaures de Spica avaient transigé en installant des serres. Là, au sein de bouquets de fougères et sur une luxuriante pelouse d'intérieur, étaient dispersées des tables et des couches. Un petit groupe de centaures, certains debout, d'autres étendus, bavardait autour d'un fourneau. À notre passage, ils me lancèrent des sourires amicaux. Sans doute s'agissait-il des oncles, tantes, cousins et cousines du conseiller Ascanius. Les Néo-troyens vivaient généralement au sein d'un groupe familial élargi. Je répondis poliment à leurs salutations, mais madame Ascanius m'entraînait déjà plus loin, au fond du patio. Dominé d'au moins deux têtes, je me laissai conduire docilement.

Le conseiller Ascanius nous attendait, debout devant une table.

« Bonjour, jeune homme, me salua-t-il. Je suis ravi que vous puissiez partager mon repas. »

J'allai lui répondre par une politesse quelconque, mais son épouse nous interrompit : « Je vais aller chercher les plats ! » Elle rejeta d'un geste gracieux une mèche de cheveux gris qui lui était tombée sur le front, puis fit demi-tour. Elle partit d'une démarche ondoyante. Ses sabots accrochaient la lumière pourtant douce. En souriant, Ascanius me fit signe de m'asseoir. Lui-même tira une banquette, qu'il enjamba avant d'y poser la masse de son arrière-train. Le corps des centaures nécessite un mobilier adéquat, d'autant que comme les chevaux auxquels ils ressemblent, ils ne peuvent se coucher sur le flanc.

Madame Ascanius revint, les bras chargés de différentes tartes. La jeune centaure qui m'avait ouvert la porte l'accompagnait, timide et rougissante. Le conseiller Ascanius me la présenta comme sa fille, Héra. Elle portait un saladier de légumes, qu'elle déposa près de moi.

Le repas fut plaisant et copieux, mais peu instructif pour mon enquête.

« Je suis désolé, monsieur Doulémi, de ne pas pouvoir vous renseigner, mais le conseiller Talib ne partageait guère d'informations avec moi, » m'affirma à plusieurs reprises le centaure au cours du déjeuner. Bien entendu, la Sécurité et la Justice collaboraient, mais seulement une fois les enquêtes menées à bien. J'interrogeai Ascanius sur le sort de

Lord Zither, le chef des trafiquants que nous avions arrêtés, mais le conseiller à la Justice ne m'apprit pas grand-chose de plus que le surveillant général : suite au mouvement zanti, toutes les procédures étaient enrayées. Lord Zither refusait de parler. On ignorait quand son procès pourrait se dérouler.

Le conseiller Ladame s'avéra encore moins informatif : à peine aimable, il me reçut dans la salle de consultation du centre social de l'escalier des Monts Bleus. Il n'avait rien à me dire de plus, déclara-t-il. Autour de nous, des médecins et des infirmières vaquaient à leurs occupations. Ladame n'avait que des monosyllabes à me proposer. Je pris rapidement congé.

Lorsque je revins à la maison, je trouvai Basel en grande conférence avec ma patronne. Ils écoutèrent ensemble mon rapport des entretiens de la journée.

Madame Ha se rejeta dans son fauteuil et ferma les yeux. Son visage se figea, tendu par la réflexion. Nous la regardâmes, Basel et moi, n'osant presque pas respirer de peur de la déconcentrer.

La vieille dame rouvrit enfin les yeux. Elle semblait soucieuse, mais des rides aux coins de ses yeux trahissaient son plaisir.

« Maintenant, tout est question de stratégie. » Elle s'interrompit, puis ajouta : « Il va d'abord falloir que je me livre à une petite page d'écriture. Ensuite, monsieur Basel, je pense qu'une petite réunion va s'imposer. Dès ce soir. »

Chapitre vingt-trois

Basel rechigna quelque peu, car madame Ha insistait pour nous réunir devant l'Épi, en présence des manifestants. Il fallut tout le pouvoir de persuasion de ma patronne, soutenue par Manssour qui nous rejoignit rapidement, pour que Basel finisse par admettre que, le président du Parlement étant mort et les principaux conseillers se trouvant sur les bancs des accusés, nous devions ouvrir les débats au public. Manssour alla recruter du monde parmi les manifestants qui encombraient la place et, aidé par des gardes, tout ce petit monde se mit à dégager une large arène au pied de l'Épi. J'avais embauché Zaïbé et Jani, qui me pressèrent de questions. Je sus cependant garder le silence. Bientôt, tous les sièges furent en place. Nous avions pris des projecteurs sur des stands, leur lumière délimitait le périmètre des débats, au-delà duquel un cordon de gardes contenait tant bien que mal la foule qui commençait à s'accumuler. Des quolibets fusaient, les manifestants demandaient à savoir ce qui se passait. Un fauteuil trônait contre les portes de l'Épi, madame Ha alla s'y asseoir. Elle ramena les pans de son manteau autour d'elle. Le spectacle pouvait commencer.

Le conseiller à la Justice arriva le premier. Il fendit avec majesté la foule assemblée : son corps imposant et ses sabots épais lui assuraient le respect des membres de l'assistance, qu'il dépassait tous d'au moins une tête. Le docteur Stout trottait derrière le centaure, profitant du passage qu'il avait ouvert. Je les dirigeai vers leurs positions respectives.

Les autres acteurs de la pièce arrivèrent les uns après les autres, escortés à chaque fois par des gardes. Rose Tey me gratifia d'un rictus carnassier ; Tofic Zéhar tenta de m'interroger mais, trop nerveux, n'acheva pas sa phrase ; le docteur Jong esquissa un sourire timide ; Mohad Ladame et Foued El-Djid ne m'octroyèrent pas un regard, il s'assirent le dos raide, la tête haute, sans regarder non plus la foule qui mettait à mal la résistance du cordon de gardes. Des gens s'interpellaient, on désignait les conseillers par leur nom, des rires s'élevaient, les mots « élections, élections ! » flottaient au-dessus de la cohue. Madame Ha restait impassible.

Un banc avait été disposé en biais sur le côté gauche de l'espace. Nous y avions fait asseoir, en rangs d'oignon, les trois conseillers : Zéhar, Ladame, puis El-Djid. Ascanius se tenait debout, campé sur ses jambes épaisses, à gauche de Zéhar. Les plis de sa toge, ses bras croisés et l'expression solennelle de son visage lui conféraient une allure majestueuse. Une chaise demeurait libre en face de lui, à la droite du fauteuil de madame Ha. Juste derrière, la redoutable Rose Tey était assise dans un fauteuil de rotin. Les deux représentants du corps médical, Jong et Stout, se tenaient l'un à côté de l'autre sur des sièges à droite du banc. Zaïbé et Jani avaient eu droit de s'asseoir derrière les conseillers. Le nouveau secrétaire néo-mississipien, Lord Basil Alder-Longbridge, prit place à leur côté. Deux gardes complétaient cette réunion : Gharib (le garde présent dans le bureau de Talib quand nous avions constaté le meurtre) et un autre, au crâne dégarni. J'allai me poster aux côtés d'Ascanius. Manssour arriva enfin, accompagné par quatre personnes : deux humains et deux hommes-chats. Je reconnus le *lestemain* Farouk et le frère de Talib. « Nous saurons, » avait déclaré Farouk lors de notre premier entretien. Ils restèrent à l'extrême bord de l'espace, debout, les bras croisés. Manssour fit s'asseoir les deux autres personnes aux côtés de Zaïbé et Jani, puis vint me rejoindre. Je lui demandai de qui il s'agissait.

« Matouri et Yassef, deux conseillers, me souffla-t-il. Je ne suis pas parvenu à mettre la main sur d'autres parlementaires. »

Madame Ha s'enfonça dans son fauteuil, poussa un soupir mélodramatique (que démentait pour moi l'étincelle réjouie dans ses yeux). Elle croisa ses doigts devant sa bouche pincée, puis parcourut un moment l'assistance du regard. Elle leva la main droite pour mettre un terme au brouhaha. Des « chut ! » et des « silence ! » jaillirent, le tumulte s'apaisa. Madame Ha commença à parler :

« Nous voici donc réunis. Je vais demander à tous un peu de patience et beaucoup de silence. Les questions dont nous allons débattre sont de la plus haute importance pour l'avenir de Spica. »

Une rumeur monta, des mouvements agitèrent la foule. Madame Ha reprit la parole, forçant un peu sa voix le temps que le silence revienne.

« Messieurs les conseillers, je n'ignore pas que c'est à l'invitation de monsieur Basel, et à elle seule, que vous avez répondu, je tiens pourtant à vous remercier de votre présence. Il était indispensable de vous rassembler ici ce soir.

— Nous sommes venus contraints et forcés ! cria Mohad Ladame. Comme si vous ne le saviez pas ! Que pouvions-nous faire d'autre ? L'attitude de la Brigade est révoltante ! On nous a obligés à venir, alors que nous avons bien d'autres soucis, avec les troubles civils qui s'aggravent ! (Des sifflements lui répondirent.) C'est totalement anormal, je n'ai pas à me soumettre à votre espèce de *tribunal populaire* ! (Il prononça ces derniers mots avec mépris.) Pour qui vous prenez-vous ? Vous ne tirerez rien de moi, si les forces de police veulent m'interroger, qu'elles le fassent dans les règles ! Personnellement, je ne dirai plus un mot !

— Je veux espérer que vous tiendrez parole, monsieur Ladame, soupira madame Ha. Je n'attends rien d'autre de votre part qu'un peu d'attention. Je vous rappelle d'autre part que vous avez simplement été invités ici, vous pouviez refuser de venir. »

Ladame vira à un rouge plus vif encore. Il semblait prêt à exploser, mais n'émit rien d'autre qu'un grognement sourd. El-Djid se pencha vers lui et lui chuchota quelque chose.

« Monsieur Basel, voulez-vous prendre la parole ? demanda madame Ha.

— Non, je ne suis ici qu'en tant qu'observateur officiel. Je vous en prie, continuez, » déclara le surveillant général qui venait d'arriver. Un des conseillers nouveaux venus se leva.

« J'aimerais comprendre ce qui se passe. En tant que parlementaire, j'estime avoir droit... » Des lazzis l'interrompirent, un tract roulé en boule atterrit à ses pieds.

« Ne vous inquiétez pas, monsieur Yassef, tout va vous être expliqué, » déclara madame Ha. La mine renfrognée, l'homme se rassit. Son collègue secoua la tête d'un air incrédule. Les autres conseillers s'agitaient sur leur siège. Des « silence ! » mirent de nouveau une sourdine au tapage qui montait derrière le cordon de gardes.

Madame Ha balaya l'assistance du regard.

« Certains d'entre vous s'en doutent, je vous ai conviés ce soir afin d'élucider le meurtre du conseiller Talib. Avec l'aide de certains d'entre vous, je pense pouvoir parvenir à quelques évidences. »

Un silence abasourdi répondit à ces mots. Sortant de sa stupeur, Yassef s'exclama : « Qu'est-ce que c'est que cette histoire ? Pourquoi n'avons-nous pas été informés de la mort de Talib ? » La rumeur reprit du volume.

Madame Ha se rejeta en arrière dans son fauteuil.

« Chaque chose en son temps. J'aimerais d'abord vous parler d'une maladie qui a frappé un des notables de cette ville. Il y a quelque temps de cela, monsieur Doulémi et moi-même sommes allés rendre visite à Lord Summer Cedar-Longbow, ambassadeur de New-Mississipi, à la demande de son médecin personnel, monsieur Stout. »

Tous les visages se tournèrent vers le petit docteur, qui se redressa sur son siège de rotin. Il commença à tripoter nerveusement sa barbiche :

« Lord Summer est atteint du syndrome d'Onza, compliqué par des fièvres. Mais peut-être ne connaissez-vous pas cette maladie ? »

Ascanius, El-Djid et Ladame ayant obtenu quelques précisions, madame Ha poursuivit :

« Son Excellence voulait nous donner son témoignage sur des événements auxquels il avait assisté, mais il fut repris par la fièvre lorsque nous étions à son chevet, et ses propos nous parurent incohérents. Il avait entrevu des ombres sous la pluie, c'est tout ce que nous comprîmes. J'attribuai à tort ses propos à la maladie. Il n'en était rien.

— Une seconde ! fit Ladame. Comment se fait-il que les Affaires sociales n'aient pas été prévenues de la maladie de Son Excellence ?

— Nous avions promis à monsieur Stout de ne rien dire, voyez-vous. Le syndrome d'Onza n'étant pas contagieux, il ne m'a pas paru urgent de faire une déclaration aux services de santé. »

Ladame ne put s'empêcher d'éclater encore.

« Je trouve que vous interprétez un peu trop les lois à votre gré, madame ! Une maladie nouvelle n'est pas une chose à prendre à la légère !

— C'est vrai, madame, et vous, docteur, vous n'auriez pas dû cacher cela aux autorités, » dit Ascanius d'une voix doucement réprobatrice.

Madame Ha balaya les objections d'un geste de la main.

« Ce secret n'était pas le nôtre. Mais la circulation de l'information dans cette ville devrait effectivement être au cœur de nos préoccupations, ce soir. De même que je me suis tue sur le syndrome d'Onza, on m'a demandé de garder le silence quant au meurtre du conseiller Talib. » Yassef fit mine de se lever, se ravisa. Madame Ha poursuivit. « Peu de temps après le témoignage de Lord Summer, les corps de deux agents des services du conseiller Talib furent retrouvés. Une jeune fille, Nassira Mika, avait été empoisonnée par de la chélonite mise dans son thé. Elle fut retrouvée dans l'appartement de la seconde victime. Un jeune homme, Khalil

Rubi, fut retrouvé dans une chapelle du quartier néo-troyen, assassiné sous rêve de tortue bleue. Talib avait chargé ces deux personnes de surveiller les activités des bars et d'enquêter sur le trafic de tortues bleues, qui semblait s'être intensifié à partir de ce quartier. Peu après, ce fut Talib lui-même qu'on retrouva mort, dans des circonstances étranges... Le rapport semblait s'imposer entre ces trois affaires : de la chélonite fut retrouvée sur les lieux du meurtre du conseiller Talib... »

Madame Ha tourna brusquement son regard vers l'agente de Talib.

« Mademoiselle Tey, vous connaissiez Nassira Mika et Khalil Rubi, n'est-ce pas ?

— Bien sûr, puisque nous étions tous les trois des agents de la sécurité, dans le même secteur. Mais ils ne se chargeaient pas des mêmes affaires que moi, voyez-vous... » Elle partit d'un rire grêle et tapota ses boucles rousses. « Nous n'opérions pas du tout de la même manière : Nassira et Khalil travaillaient sous couverture, tandis que j'agis au grand jour, comme une sorte d'assistante sociale...

— Vous êtes cependant en contact avec des drogués, je suppose ?

— Hélas oui, soupira mademoiselle Tey, c'est inévitable. » La jeune femme adressa un petit sourire contrit à la foule.

« Vous pourriez donc avoir accès à de la chélonite ?

— Vous n'insinuez tout de même pas ? bafouilla mademoiselle Tey, ouvrant de grands yeux.

— Répondez simplement à ma question.

— Je suppose que je pourrais m'en procurer, en effet. Mais ça ne signifie rien.

— Expliquez-nous pourquoi vous vous êtes introduite chez monsieur Khalil, l'après-midi précédant l'empoisonnement ? »

Mademoiselle Tey se leva d'un bond, incarnation de la pudeur outragée. Sa voix gravit un nouvel échelon dans les aigus : « Mais pas du tout, je n'y suis jamais allée ! Où avez-vous été pêcher des choses pareilles !? » Sa voix s'étrangla. Elle se rassit brutalement, les jambes coupées par l'émotion.

S'abstenant de lui répondre, madame Ha fit un léger signe de tête en direction de Basel, qui quitta le cercle de lumière. Manssour s'empressa de lui emboîter le pas. Je réprimai un sourire : premier coup de théâtre.

Les conseillers sur le banc se mirent à chuchoter entre eux. Mademoiselle Tey se tenait très droite dans son fauteuil, le visage boudeur. Un coup de vent soudain agita ses boucles rousses.

Basel revint bientôt, suivi de Manssour qui escortait un Lord Zither menottes aux poignets.

« Approchez, Lord Zither ! » lança madame Ha.

Le trafiquant ainsi apostrophé ne réagit pas, trop occupé à fixer mademoiselle Tey d'un air furibond.

Manssour escorta son prisonnier jusqu'au fauteuil resté libre à la droite de madame Ha, mais, avant qu'il ne l'ait atteint, Zither s'arrêta devant mademoiselle Tey, la toisa avec haine et lui lança un « Salope ! » meurtrier. Sa cible en resta bouche bée, peut-être sa première expression non calculée de la soirée. Des rires et des huées naquirent dans la foule.

Une fois Zither installé dans le fauteuil qui lui était destiné, Manssour alla se planter derrière son dossier.

« Pour ceux d'entre vous qui ne le connaissent pas, je vous présente Lord Zither, citoyen néo-mississipien, ancien secrétaire particulier de Son Excellence Lord Summer. Lord Zither est actuellement sous l'inculpation de trafic de tortues bleues. »

Il y eut encore des remous, la rumeur enfla. Les conseillers ne pipèrent mot.

« Que signifie l'insulte que vous avez lancée à mademoiselle Tey, Lord Zither ? demanda madame Ha au nouveau venu.

— Vous le savez fort bien, » répondit Zither d'une voix rauque. Il se tourna vers mademoiselle Tey : « Vous avez cru pouvoir vous en tirer si facilement ? »

Actrice consommée, elle s'était déjà reprise et ne réagit à l'accusation de Zither qu'en levant un sourcil surpris. Elle répliqua froidement : « C'est insensé ! Je suis un agent de la Sécurité et je refuse que l'on m'implique dans je ne sais quelle affaire !

— Je crois pourtant qu'il est inutile de nier, mademoiselle. Lord Zither vient de signer une déclaration vous accusant de complicité dans l'organisation du trafic de tortues bleues, ainsi que du meurtre de vos deux malheureux confrères, qui allaient vous démasquer. » Sifflements, huées, quelques applaudissements. L'étude de l'expression du visage de mademoiselle Tey m'absorbait tant que je ne vis pas Gharib se déplacer. Il se carra derrière le fauteuil de la criminelle, qui tourna la tête pour le fusiller du regard. Elle se renfonça dans son siège, figée, la mine indéchiffrable.

« Il faut que j'avoue un petit subterfuge, » reprit madame Ha. « Lord Zither n'a signé cette déclaration que parce que le surveillant général lui avait montré celle que vous aviez vous-même rédigée, incriminant Zither. » Mademoiselle Tey sursauta. Une lueur mauvaise passa dans ses yeux. « Vous réalisez que vous n'avez jamais rédigé un tel papier. Je le reconnais : c'est moi qui ai forgé ce faux, il y a quelques heures à peine. » Rires, applaudissements. Lord Zither blêmit visiblement. « Lord Zither ne pouvait pas savoir que ce qui m'avait mis sur sa piste n'était pas une dénonciation de la part d'une de ses complices, mais le témoignage involontaire de son supérieur, Lord Summer.

» Revenons à vous, mademoiselle. Vous vous êtes introduite chez Khalil Rubi un après-midi et avez généreusement saupoudré de chélonite tous ses pots de thé, sachant la grande consommation qu'il en faisait. Le soir même il recevait son amie Nassira Mika, et lui préparait un thé fatal... Il y a là un point sur lequel vous pourriez d'ailleurs m'éclairer, mademoiselle, » poursuivit madame Ha en se penchant d'un air intéressé vers la coupable. « Comment se fait-il que monsieur Rubi ne soit pas mort sur le coup, comme mademoiselle Mika ? »

Mademoiselle Tey, le visage pâle, ne daigna pas répondre. Elle ne regardait plus la vieille dame, fixant son regard quelque part au-dessus de sa tête.

« Tant pis, il aurait été intéressant de savoir s'il s'agissait d'un hasard ou d'un calcul, » fit madame Ha avec une moue, en se rappuyant sur son dossier. Elle croisa ses mains devant elle et continua d'un ton placide.

« Toujours est-il que vous avez plongé Rubi dans un rêve de tortues bleues et qu'ensuite vous l'en avez tiré brutalement, provoquant ainsi sa mort. Vos complices ont déposé le corps à un endroit du quartier néo-troyen où vous étiez assurée qu'il serait rapidement découvert. Ainsi, espériez-vous, l'enquête continuerait-elle à se concentrer sur ce quartier. » Le regard de madame Ha quitta mademoiselle Tey pour se tourner du côté des conseillers. « Le trafic partait en fait de l'ambassade de New-Mississipi. Orienter les recherches vers le quartier sud-ouest s'avérait assurément une manière simple et astucieuse d'éviter des inquiétudes près de l'ambassade néo-mississipienne. J'ai pourtant réalisé que les propos de Lord Summer ne relevaient pas du délire. Il décrivait simplement avec les mots en sa possession ce qu'il avait observé sous sa forme nocturne, certains soirs où la pluie rendait particulièrement discrètes les opérations : des hommes chargeant et déchargeant les caisses de tortues bleues près de l'ambassade. Je reconnais cependant n'avoir pas alors établi de lien entre Lord Zither et mademoiselle Tey. Je n'avais pas encore fait le cheminement intuitif complet, ayant progressé par bonds. Un indice existait pourtant : la visite que mademoiselle Tey, suivie par Ariel, avait rendue à l'ambassade néo-mississipienne le jour où nous l'avions interrogée. La baleine-ciel bloquant les communications téléphoniques, mademoiselle Tey devait aller voir son complice pour le prévenir.

— Et l'assassinat de Talib dans tout ça ? » gronda Ladame, incapable de se taire plus longtemps. « Ce que vous nous racontez là concerne la Brigade, pas le meurtre de notre collègue.

— J'y viens, monsieur Ladame, l'affaire est complexe, mais soyez certain que tout se tient. Puisque vous avez pris la parole, peut-être souhaitez-vous me dire ce que vous savez de la chambre secrète attenante au bureau de Talib ?

— Rien, je ne sais rien du tout !

— Fort bien, alors arrêtez-moi si je me trompe. Vous savez, *tous les quatre*, très bien de quoi il retourne, pour l'excellente raison que vous aviez coutume de vous y réunir. »

La déclaration provoqua un choc dans les rangs des conseillers. Mohad Ladame, le visage rouge brique, se redressa brutalement et se mit à hurler qu'il n'était pas venu ici pour se faire insulter et qu'il allait partir sur-le-champ. El-Djid renchérit avec véhémence, pendant que Zéhar se dirigeait déjà vers le cercle de gardes. Seul Ascanius ne dit rien. Tendu mais indéchiffrable, il fit seulement passer son poids d'une patte sur l'autre. Les deux hommes-chats ne bougèrent pas non plus, les bras toujours croisés sur leur poitrine. Des questions fusaient dans l'assistance.

« Une seconde, messieurs ! cria madame Ha au-dessus de la mêlée. J'ai la preuve de ce que j'avance. »

Zéhar se retourna vers elle et les deux autres se rassirent.

« Ne voulez-vous pas vous rasseoir aussi, monsieur Zéhar ? Ariel, peux-tu me passer le cahier ? »

Je lui tendis le cahier rouge, qui n'avait pas quitté ma poche de la soirée.

« Merci. Ce cahier, messieurs, m'a été remis par le conseiller Talib le matin avant sa mort. Se méfiant de ce qui pouvait advenir, il avait couché dans ces pages un certain nombre d'éléments de cette affaire. »

Nouvelle commotion parmi ces messieurs. Zéhar revint précipitamment s'asseoir sur le banc, le visage plissé par l'inquiétude. Ladame semblait au bord de l'apoplexie et l'expression de El-Djid s'assombrissait de minute en minute. Ascanius fixait le sol devant lui.

« Puis-je continuer ? » Madame Ha contempla les conseillers d'un air interrogatif. « Merci. Il y avait une brèche près du bureau de Talib. Une brèche donnant sur le Palais, et vous étiez tous au courant. » Cris, insultes, divers débris se mirent à pleuvoir. Matouri et Yassef semblaient s'être changés en statues de sel, couleur comprise. Madame Ha criait presque pour se faire entendre. « Vous aviez l'habitude de vous réunir régulièrement dans l'alcôve de la brèche ! Vous preniez de la chélonite, fournie par les compatriotes du conseiller Talib. La plaque tournant au plafond servait à concentrer votre attention. Vous utilisiez vos facultés télépathiques alors exacerbées pour explorer ensemble la partie du Palais située sous les bureaux de la Sécurité ! »

Un silence passa sur nos têtes. Jani étouffa un sanglot. Le vent s'était fait plus froid, plus insistant. Ascanius releva enfin la tête : « Madame, vous devez comprendre que nous faisions cela dans l'intérêt de la population. Il s'agissait d'une expérience scientifique. Nous voulions élucider ce qui s'était passé dans le Palais.

— Pour essayer de retrouver l'Empereur s'il est encore là, c'est bien cela ? »

Ascanius hocha gravement la tête.

« Nous ne pouvions pas rendre publique cette expérience. La Disparition est un sujet tellement sensible... Il nous fallait garder le plus grand secret...

— Je faisais tout à l'heure allusion à la circulation de l'information, alors que monsieur Ladame me parlait d'interprétation abusive des lois. Nous sommes bien au cœur du sujet. Monsieur Ascanius, cette expérience nécessitait-elle la communion de vos esprits sous l'influence de la chélonite ? »

Nouveau signe d'assentiment d'Ascanius. Les trois autres conseillers gardaient le silence. Plus un bruit ne provenait de la foule.

« C'est ainsi que Talib a un jour saisi une bouffée mentale en provenance de l'un d'entre vous. Une pensée trahissant son propriétaire quant à l'organisation d'un trafic de tortues bleues. »

La seule exclamation vint de Basel qui, penché dans son fauteuil, ne pouvait être plus attentif.

« Pourquoi n'avez-vous pas dit la vérité, monsieur Ascanius, après la mort de Talib ? voulut savoir madame Ha.

— Ce secret n'était pas seulement le mien... » murmura le centaure. Ma patronne ne sembla pas entendre cette réponse. Elle continua derechef :

« Talib ne put identifier de qui provenait cette pensée, et il mit sur l'affaire l'un de ses agents, nommé Ari Glenna. Celui-ci s'introduisit dans les milieux des trafiquants pour tenter de dévoiler l'identité de l'éminence grise qui se camouflait derrière tout ça. Glenna réussit dans sa mission — mais fut assassiné. »

Madame Ha posa à nouveau son regard sur mademoiselle Tey.

« Une fois de plus, vous vous débarrassiez d'un gêneur. »

La nympho continua de fixer le mur derrière madame Ha.

« Même arme, même méthode. » Madame Ha sortit de son manteau un objet noir que je reconnus. « Sur son agenda, à la date de son assassinat, Talib a noté les choses suivantes : 12 h 30, rendez-vous *Vallée*. En gaélique, la langue d'origine de la famille Talib, le mot *vallée* se dit *Glenna*. J'en déduis qu'à 12 h 30 il rencontra son agent, qui lui donna l'identité du coupable. Pour treize heures est noté *Bydd Rig*. Encore du gaélique. Littéralement *roi du monde*, ou plus communément : *empereur*. Ce terme revient fréquemment dans l'agenda, pour désigner les réunions d'exploration. Je suppose que Talib convoqua pour cette heure le coupable. Sans doute voulait-il demander la démission du conseiller, tout en évitant un scandale qui déstabiliserait un régime politique déjà contesté. À moins que monsieur Talib ait résolu de se débarrasser définitivement de ce problème : il ne pouvait pas dénoncer le trafiquant sans révéler au grand jour la nature des explorations sous chélonite. Et puisque son agent, Glenna, était un tueur expérimenté... » La rumeur de la foule enfla, les conseillers semblaient abasourdis, madame Ha haussa la voix : « Talib avait-il chargé Glenna d'assassiner le trafiquant, et ce dernier les a-t-il pris de vitesse ? » Sans reprendre son souffle, madame Ha se tourna vers l'un des conseillers : « Monsieur Zéhar, comment se fait-il que vous ne soyez arrivé au bureau de Talib qu'à 13 h 30 alors qu'un garde vous a vu entrer dans les bâtiments de la Sécurité vers 13 h 15 ? »

Ascanius se précipita sur Zéhar : « C'est donc vous ! Vous avez tué Talib, misérable ! » Il l'étranglait. Basel, Ladame, un garde et moi-même bondîmes sur Ascanius, agrippant sa toge, pesant sur sa croupe et entravant ses bras, pour qu'il lâche la gorge de Zéhar.

Mademoiselle Tey choisit ce moment pour émettre un ricanement mauvais, qui ne seyait pas du tout à son personnage de poupée frivole. Manssour se permit une brutalité policière : il lui tapa du plat de la main sur la tête pour la faire taire. Elle laissa néanmoins échapper quelques ricanements supplémentaires.

« Messieurs, messieurs, je vous en prie ! » lança madame Ha, débordée par le succès de sa petite représentation. « Calmez-vous, monsieur Ascanius, voyons ! »

Le centaure nous fit savoir qu'on pouvait le lâcher, qu'il n'essayerait plus d'étrangler Zéhar. Il recula en fixant son confrère d'un air vengeur. Les gens de cette race ne sont pas facilement irascibles, mais une fois en colère, mieux vaut se garer.

Zéhar se frottait le cou en gémissant. Quand enfin il put à nouveau prendre la parole, ce fut pour coasser un : « Je suis innocent ! J'étais en avance, mais Talib était déjà mort quand je suis arrivé ! »

Basel ne put s'empêcher d'intervenir dans l'interrogatoire : « Et quand êtes-vous arrivé ?

— J'avais rendez-vous à 14 heures, mais je suis arrivé un peu plus tôt, je ne sais pas quand exactement. Talib était étendu, là, dans la porte de la brèche. » Zéhar ferma les yeux une demi-seconde. « J'ai tout de suite vu mon pistolet, par terre, à côté de lui. J'ai voulu le récupérer mais je n'en ai pas eu le temps. J'ai entendu des pas dans le couloir. Je me suis caché derrière la porte quand le docteur Jong est entré et suis ressorti pendant qu'il se penchait sur le corps. Ensuite j'ai fait semblant d'arriver. Je ne voulais pas être accusé. Mais je vous jure que je suis innocent, Ascanius, bon sang ! » conclua-t-il d'un ton geignard en se tournant vers le centaure.

« Je vous crois, monsieur Zéhar, déclara madame Ha. Monsieur El-Djid, que pensez-vous de tout ça ? » demanda-t-elle à brûle-pourpoint.

El-Djid n'eut que le temps de froncer les sourcils et d'ouvrir la bouche que madame Ha poursuivait déjà.

« Car c'est vous le coupable, n'est-ce pas ? Qui d'autre que le conseiller aux Approvisionnements est le mieux placé pour orchestrer un trafic en provenance du Port, tout proche de l'ambassade de New-Mississipi ? Talib vous a d'ailleurs désigné, en laissant un classeur « Approvisionnements » dans son tiroir avec l'agenda. »

Le conseiller Ascanius n'avait pas besoin de plus de preuves pour se ruer sur le coupable...

Affolé, El-Djid tira un pistolet de son gilet et fit feu sur Ascanius. La balle atteignit le centaure dans la jambe avant-droite, un peu de sang jaillit de la blessure. Il trébucha alors contre Zéhar, qui poussait des cris d'orfraie, mais parvint à saisir une des jambes d'El-Djid qui s'enfuyait. Les deux individus s'étalèrent sur le sol. Pendant ce temps, Ladame avait bondi par-dessus le dossier. Je bondis à mon tour mais me cognai dans le banc qui tombait en arrière. Je m'effondrai et Ladame recula précipitamment. Au sol, El-Djid se retourna à demi sur un coude et tira une nouvelle fois. La balle passa largement au-dessus d'Ascanius et alla se perdre dans le ciel obscur entre deux projecteurs. Basel et un garde clouèrent El-Djid au sol et lui arrachèrent son arme. Fin de la mêlée.

Alors que je me relevais en me frottant le tibia, je vis le sourire radieux de madame Ha, toujours dans son fauteuil.

L'affaire des tortues bleues venait d'être résolue à sa satisfaction manifeste. Elle se mit debout, leva les bras en l'air pour attirer l'attention sur elle et calmer les rugissements de la foule. Le conseiller Yassef la rejoignit, lui aussi les bras levés. « Écoutez-moi, s'il vous plaît ! Écoutez, écoutez ! » Le tumulte s'apaisa un peu. Jani vint se blottir contre moi, Zaïbé faisait la grimace, les deux hommes-chats semblaient s'être éclipsés à la faveur de la bagarre.

« Écoutez-moi ! demanda encore le conseiller Yassef. Je vous demande un peu de calme ! » Un grondement de tonnerre supplanta sa voix.

Je levai les yeux : de lourds nuages roulaient dans le ciel. El-Djid, Tey et Zither défilèrent devant nous, entourés de gardes. Nouveau roulement de tonnerre. Yassef parvint enfin à se faire entendre : « Devant la gravité des faits qui viennent de nous être exposés... (grondement)... des mesures ! Nous allons organiser des élections... »

Le reste de son discours se perdit dans la clameur qui éclata soudain, au mot « élections ! », enflant jusqu'à couvrir le fracas de l'orage qui approchait. « Élections ! Élections ! Dieu est mort, vive l'homme ! Élections ! » La foule se dispersait, regagnait les stands, des gens commençaient à danser et à chanter. La musique d'un accordéon s'éleva entre deux coups de tonnerre, un bal se forma spontanément. Les projecteurs furent orientés vers la foule.

« Regarde là-haut » me glissa Jani à l'oreille.

Une baleine-ciel flottait sous les nuages nocturnes, luisant par intermittence dans la lueur des éclairs. La pluie commença à tomber sur la fête qui battait son plein.

La pluie, la baleine-ciel : il me semblait brusquement que tout tournait autour de ces deux éléments. Le trafic de tortues bleues, les empoisonnements, les émeutes, le corps de Talib sur la brèche, le théâtre nocturne... Tout s'enchaînait.

Une page d'histoire venait de se tourner.

Pris à parti par un groupe de manifestants, Ladame et Zéhar défendaient leur politique. Des éclats de voix me parvenaient par intermittences, incompréhensibles. Zaïbé alla les rejoindre. La discussion s'annonçait chaude...

Je repoussai une mèche qui me gouttait sur les yeux. La pluie redoublait d'ardeur. Slogans, rires, chants, bruit de l'averse, un vacarme joyeux emplissait toute la place devant l'Épi. La toge trempée du conseiller Ascanius collait à ses flancs. Il prit une grande inspiration. « Peut-être ont-ils raison. C'en est fini du temps de l'enfance... » gronda-t-il. Il secoua sa crinière, nous aspergeant au passage, puis s'éloigna dans la cohue. Je reculai avec Jani à l'abri des portes de l'Épi. Madame Ha avait déjà regagné son fauteuil. Elle semblait plongée dans ses réflexions.

« Il reste tant de questions sans réponse, » l'entendis-je murmurer. Voyant que je la regardai, elle me lança un clin d'œil. Ou avait-elle été gênée par une goutte d'eau ? Je l'entendis encore chuchoter : « Je me demande si ce qu'ils ont pu observer sous chélonite était objectif ? »

La musique de l'accordéon allait en s'enflant, rejointe par celle d'autres instruments.

De grands brasiers fumaient et grésillaient. Ils illuminaient hommes et femmes occupés à danser.

Des reflets bleus naissaient au sein de l'ondée. L'eau et la nuit gommaient les formes et les mouvements.

D'où je me tenais, je ne discernais plus que des ombres sous la pluie.

REMERCIEMENTS

À mes premiers lecteurs, pour leur patience
et leurs conseils : Bruno, Sylvie, Rafu, Zabeth,
Marie-Pierre – et Gillou bien sûr.
À Raphaël Colson, pour la carte.
À MPC et à BBB : pardon !

Et à monsieur Rex Stout, sans qui...

ISBN : 2-84344-0 22- X
Dépot légal : à parution

Cet ouvrage a été achevé d'imprimer
en mars 1999 par **Durand Imprimerie, Luisant**